DU MÊME AUTEUR

Aux Éditions Gallimard

UN AMÉRICAIN PEU TRANQUILLE, coll. L'air du temps (Folio n° 4171).

DES FEUX MAL ÉTEINTS (Folio n° 1162).

DES BATEAUX DANS LA NUIT (Folio n° 1645).

L'ÉTUDIANT ÉTRANGER, prix Interallié (Folio n° 1961).

UN ÉTÉ DANS L'OUEST, prix Gutenberg (Folio n° 2169).

LE PETIT GARÇON (Folio n° 2389).

QUINZE ANS (Folio n° 2677).

UN DÉBUT À PARIS (Folio n° 2812).

LA TRAVERSÉE (Folio n° 3046).

RENDEZ-VOUS AU COLORADO (Folio n° 3344).

MANUELLA (Folio n° 3459).

JE CONNAIS GENS DE TOUTES SORTES (Folio n° 3854).

LES GENS (Folio n° 5092).

7 500 SIGNES.

LE FLÛTISTE INVISIBLE (Folio n° 5809).

ON A TIRÉ SUR LE PRÉSIDENT (Folio n° 6034).

Dans la collection À voix haute

MON AMÉRIQUE.

Dans la collection Écoutez lire

LES GENS.

Aux Éditions Denoël

TOUS CÉLÈBRES.

Aux Éditions Albin Michel

TOMBER SEPT FOIS, SE RELEVER HUIT (Folio n° 4264).

FRANZ ET CLARA (Folio n° 4612).

Suite des œuvres de Philippe Labro en fin de volume

MA MÈRE, CETTE INCONNUE

PHILIPPE LABRO

MA MÈRE, CETTE INCONNUE

récit

GALLIMARD

*Il a été tiré de l'édition originale de cet ouvrage
quarante exemplaires sur vélin rivoli
des papeteries Arjowiggins numérotés de 1 à 40.*

À mes frères,
Jean-Pierre, Jacques et Claude

« Voilà, j'ai fini ce livre et c'est dommage. Pendant que je l'écrivais, j'étais avec elle. »

Albert COHEN
(*Le livre de ma mère*)

1

C'est une femme assise face à la mer.

Au balcon du troisième étage de la résidence Hauss-
mann, au Mont-Boron, sur les hauteurs de Nice, avec
une visière de golfeur des années 40 qui couvre son
front, des lunettes aux verres épais et légèrement
teintés, un châle rosâtre protégeant ses épaules, un
petit objet rectangulaire entre ses mains, elle est là,
figée dans sa chaise à roulettes et elle regarde la mer.
Elle s'appelle Netka — que son père, qu'elle n'a pas
connu, avait ainsi prénommée. Au début, on disait
sans doute Netouchka, et puis Netka. Son mari, mon
père, l'appelait Netka. Nous disions maman, et les
petits-enfants ont dit Mamika.

Netka, Netouchka, Mamika, il y a du slave dans ces
noms qui sonnent clair, et pour cause. Elle a cinquante
pour cent de sang polonais dans ses veines. Il me

faudra beaucoup de temps pour mieux identifier la Pologne, chercher la trace du père inconnu, reconstituer la traversée de l'Europe, imaginer l'enfant-valise, la définir comme celle que l'on a abandonnée. Elle est, elle était ma mère. Ma « petite maman ».

— Autrefois, me disait-elle, tu étais mon petit garçon. Maintenant je suis ta petite maman, votre petite maman.

Et lorsqu'elle dit « votre », elle pense aux trois autres garçons, « les frères », à qui elle disait souvent :

— Voyez-vous, ne cessez pas de vous voir.

Netka. Assise face à la mer, ses yeux bleu-vert perdus dans le bleu-noir de la baie des Anges, ses doigts ne se détachant jamais de l'objet rectangulaire. Il ressemble à une sorte de livret, constitué d'une petite paroi métallique recouverte d'un tissu mauve, fatigué, avec un volet recto et un volet verso, rien à l'intérieur, sinon la photo de son « chéri », Jean, qui n'est plus là, et des dates inscrites sur un morceau de papier. Elle ouvre assez fréquemment ce mince accessoire, puis le referme après avoir jeté un œil sur la photo. Elle le tient presque en permanence entre ses mains, comme un talisman, un fétiche, qu'on peut comparer à celui que chérissent tous les enfants pendant leurs premières années d'existence. Ils ont tous leur « doudou », un petit ours, une peluche, un bout de tissu froissé qui sent parfois mauvais, ils ne s'en séparent jamais. Mais Netka n'est pas un bébé, c'est une femme, déjà très âgée, au rire contagieux, assise face à la mer, et à qui je demande à quoi elle pense. Elle répond par une généralité :

— Oh, à beaucoup de choses.

Ce qui est une manière de fuite.

Alors, je me demande si son regard vers la mer ne la renvoie pas à d'autres étendues d'eau, un lac, par exemple, oui, un lac. Ou peut-être deux. Genève. Annecy.

Elle sourit, Netka, constamment, une frêle trace autour des lèvres en forme convexe, les commissures ne s'abaissent pas, elles se relèvent toujours un peu, je ne l'ai pas connue autrement qu'habitée par ce sourire. En revanche, lorsque je scrute les photos de sa jeunesse, et j'ai réussi à en retrouver quelques-unes, je ne vois pas la même expression. C'est celle d'une jeune fille, qui, pour moi, va toujours demeurer une inconnue, et je vois plutôt un sourire de défi et, à la fois, de mélancolie. Étrange mélange, subtil, énigmatique, que l'on découvre sur les photos du « lycée de jeunes filles » de Versailles. Et pourtant, une dame, aujourd'hui âgée, qui l'a observée quand Netka était jeune, va me confier un témoignage précieux. Elle me dit :

15

— Elle était magnifique, blonde, une lumière. Un sourire moqueur. Elle faisait toutes sortes de bêtises, mais on lui pardonnait tout parce qu'elle était… si belle et si brillante. Si intelligente.

Elle est assise à la quatrième place au milieu de huit camarades, première rangée, des filles dont on peut imaginer qu'un de leurs enfants lirait sur leur visage toutes sortes de messages. Mais, pour moi, les autres jeunes filles n'existent pas. Elles sont banales, sans histoire — forcément, je ne les connais pas. Or, elles ont vécu des vies, elles ont souffert, elles ont aimé, mais seul m'intéresse le visage de Netka. Je trouve qu'il ne ressemble à aucun autre, elle est différente.

Photo de classe : un rite d'autrefois. L'affaire prenait pratiquement toute la matinée. On alignait des bancs de bois sur lesquels on vous installait et à partir d'un certain rang, vous étiez debout. Qui se souvient encore d'un tel événement ? Le photographe officiel arrivait, encombré de ses importances et de ses appareils, trépied, gros boîtier carré, chambre 4 × 5, drap noir. On disposait les élèves, le maître ou la maîtresse, le prof principal. Parfois, le dirlo, ou la directrice, s'asseyait au milieu. Cela prenait beaucoup de temps, et les rires et sourires, les poses étaient figés, déjà des rôles, déjà des comédies. Netka est coiffée les cheveux un peu en rond, une sorte de grosse mèche en forme de coque barre une partie de son front. Il ne s'agit pas d'une frange, mais d'un « accroche-cœur », ainsi désignait-on cette coiffure. D'après ce que j'apprendrai plus tard sur ses années d'adolescence, il eût mieux valu dire « attrape-cœur », tant elle cherchait à aimer et être aimée.

« Netka ne rêve que de poudre de riz, charleston et jeunes gens », écrit, en 1927, la femme qui l'avait recueillie et qui l'accompagnera pendant toute sa jeunesse, on l'appelait Marraine. Comment interpréter le visage de la jeune fille ? Je crois voir dans l'heureuse composition des lèvres et des sourcils, des pommettes hautes et du front, comme une marque de mutinerie, un soupçon d'espièglerie avec l'expression d'une certaine liberté, de la clairvoyance, la lèvre supérieure, côté gauche, relevée, comme pour dire : « Quelle importance ? »

La même dame qui m'a confié quelques papiers et souvenirs me dit : « Votre mère était tout à fait exceptionnelle. » Dois-je lire de la tristesse sur un tel visage ? Non, jamais en apparence, mais une mélancolie, l'air de qui cherche ce que le sort lui a refusé : un père, une mère.

Dernière remarque sur la photo de classe : il ne s'agissait pas de rigoler. On était loin des imbéciles qui, aujourd'hui, lorsqu'ils organisent une photo de groupe, vous forcent à dire « sexe » ou « cheese », et vous incitent ainsi à ouvrir grand la bouche.

À l'époque, il fallait prendre un air sérieux, plutôt compassé, il fallait refaire le cliché plusieurs fois. Intervenait alors le moment le plus solennel, lorsque le photographe glissait sa tête sous le tissu noir avant de figer et fixer cet assemblage de jeunesse qui se disperserait dans l'imprévisible des temps à venir. La vie devant soi ? Pour Netka il y avait déjà « la vie derrière soi », mais elle se gardait de le faire savoir.

2

Qui est-elle ? Qui était-elle ? D'où venait-elle ?

Ses enfants, mes trois frères et moi, nous nous sommes interrogés très tardivement sur les origines de Netka. On croit connaître ses parents. On ne connaît pas grand-chose. Certes, il existe des enfants à qui on a narré, exposé, expliqué origines, branches familiales, ce qui fait que l'on sait à peu près d'où l'on vient, l'ADN est clair. Dans notre cas, pendant longtemps nous ne nous sommes pas intéressés aux antécédents de nos parents. Ils nous suffisaient. Lui, était une colonne de marbre, solide, rassurante et imposante autorité, qui forçait le respect. Elle, un puits d'amour, de tendresse et de générosité. Ce couple avait créé une sorte de bulle, une merveille au sein de laquelle nous avons grandi sans nous poser de questions. Il a fallu que nous devenions des adultes, fassions nous-mêmes des enfants, pour que, tardivement, trop tardivement, nous partions de façon désordonnée à la recherche de ce que nous sommes, de ce qu'il y a dans notre sang.

Il est vrai que Netka ne nous révélait rien. Ou qu'elle détournait l'attention vers d'autres histoires pour changer le cours de la conversation. Elle était, comme disent les cuistres, « dans le déni ». Elle avait une docile et gentille manière de balayer le passé et de nous attacher au seul présent de nos vies, celles de nos enfants plus tard, quand nous serions adultes, avec leurs jeux, leurs occupations. Notre père effaçait tout d'un revers de main, toutes questions possibles, avec une telle autorité qu'elle nous enfermait dans le silence. On s'en tenait à trois ou quatre faits, rien d'autre. Nous n'eûmes ni grands-pères, ni grands-mères, aucun autre lien que celui qui les unissait eux-mêmes. Il était d'autant plus facile de vivre dans ce cocon que nous avons connu une enfance de bonheur, quasi autarcique, et nous avons grandi sans éprouver le besoin de s'interroger sur la vie antérieure de Netka.

C'est seulement maintenant qu'elle est seule, face à la mer — son mari a disparu en 1983 —, que, devenus adultes, nos vies déjà bien faites, très faites, très entamées, nous désirons l'interroger. Mais elle saura, évasive, livrer des réponses incomplètes et parcellaires, préférant se dévouer entièrement aux autres, à nos propres vies, nos réussites ou nos échecs, nos enfants qui l'aiment, cette Mamika enjouée qui donne son amour et son temps, qui distribue de petits cadeaux et conserve, dans le minuscule objet qu'elle garde constamment entre ses mains, la liste des anniversaires à souhaiter. Mamika, adorée de tous et toutes, nos enfants, et plus tard leurs propres enfants. Elle n'oublie jamais un anniversaire de chacun de ces êtres. La date est consignée sur un minuscule agenda, écrite de ce même graphisme avec lequel, pendant trente ans, nous avons échangé des lettres, elle et moi, une lettre par semaine, quoi qu'il arrive. Netka la lumineuse aura toujours posé des voiles sur son passé lointain. Netka si ouverte et cependant si cachée, intarissable dès qu'il s'agissait de parler des autres, se plaisant à raconter les moindres anecdotes de notre propre enfance et à se rappeler les moindres mots, volubile et enjouée, intarissable, aussi, sur son Jean, son mari, leur rencontre, nos naissances, les premiers pas, les premières bêtises, les voyages d'initiation à l'étranger, les frères entre eux… Mais à son propos, sur son enfance, son adolescence, sa prime jeunesse, ses années les plus déterminantes, on dirait parfois qu'elle ment, plutôt par omission. Pourquoi ? Elle a fermé la porte entre les premières années de sa vie et le reste. Comme si elle ne voulait pas admettre sa vérité devant nous. Cruelle, à l'époque. Ignorer les blessures qui sont propres à toutes celles et ceux qu'on a abandonnés.

Ses histoires d'abandon. Les abandons, j'en compte au moins quatre. Et cependant, je ne vois que lumière et tranquillité souriante chez cette dame âgée face à la mer, coiffée de sa visière de golf, les doigts rivés sur le petit fermoir de son objet fétiche. C'est la « petite maman », au double visage.

3

Elle est prudente, discrète, réservée. Je la sentirais même méfiante.

Elle voit bien, lorsque je viens lui rendre visite à Nice depuis Paris, qu'il m'arrive de prendre des notes pendant l'après-midi que nous passons ensemble. J'ai disposé mon inséparable carnet Moleskine à portée de mon stylo sur la table de la salle à manger. Ça la dérange, mais elle n'en dit rien. Tant que nous avons parlé de nos activités, celles des frères, celles de mes enfants, et visites de ses petits-enfants, les mille et minuscules choses de sa vie de tous les jours, ça va. Elle a ouvert le petit objet, regardé la photo de mon père, son mari, son homme, et elle m'a redit, combien de fois ai-je entendu cette phrase :

— On savait bien quand on s'est mariés, on savait bien qu'il avait vingt ans de plus que moi, on savait qu'il partirait avant moi, mais que veux-tu, on s'aimait.

Tout va bien donc, tant que nous jouissons ensemble de cette tendresse, cette complicité, l'absence totale de comédie, ce qui se passe entre une mère et l'un de ses enfants, ce qui ne se définit guère : « On est bien ensemble. » La dévouée Maïté, qui veille en permanence sur elle, a préparé un déjeuner et, avec son habituelle courtoisie, m'a dit :

— Je vous laisse avec elle, elle ne vous voit pas beaucoup.

Nous n'allons, en effet, sans doute pas la voir assez souvent à Nice, et chaque fois, je m'en veux. On bavarde, on rit, elle aime rire, on déjeune, on feuillette l'un de ses trente-huit albums de photos (elle a tout répertorié, tout conservé depuis le premier jour de la naissance de mon frère aîné, c'est un véritable trésor), mais déjà depuis quelque temps, j'essaye de la faire parler de ce dont elle ne parle pas.

— Tu ne nous as jamais donné le nom de ton père.

— Je ne m'en souviens plus bien. Ça devait être quelque chose comme Sloesing ou Szlotine, je ne sais pas, c'était un nom comme ça.

Et puis :

— Pourquoi prends-tu des notes ?

— Parce que, maman, un jour, je raconterai ton histoire.

— Il n'y a pas d'histoire, ça n'a pas d'importance tout ça, c'est très simple et c'est très loin. Il n'y a pas d'histoire.

— Simple ? Ce serait simple si tu nous en disais plus, si tu m'en disais plus, tu m'as dit Szlotine ou Sloesing ?

— Oui, Szlotine. Ou quelque chose comme ça.

— Mais à qui ou à quoi il ressemblait, ton père ? Tu l'as quand même vu ?

— Je ne l'ai vu qu'une fois.

Elle n'en dit pas plus, comme si elle craignait, ayant accepté ce questionnement, que je ne parvienne à lui faire révéler un élément supplémentaire.

— Une fois, dis-je. Mais où ?

— Sur un bateau, sur un lac.

— À Genève ?

— Oui, sans doute, il se tenait tout droit.

Elle ajoute que c'était un homme de haute taille et qu'il portait une barbe. Soudain, revenant sur ses propos et reprenant ce sourire qui l'avait fugacement quittée à la seule évocation de l'image de cet homme barbu debout sur le pont d'un bateau, au milieu du lac de Genève, Netka concède :

— Bien sûr, il y a une histoire.

Szlotine ? Pendant un certain temps, j'ai cru qu'il s'agissait du nom véritable et que je pouvais donc être le cousin éloigné d'un Slotine, que j'avais connu à mes débuts à *France-Soir*, un collègue. Je lui en avais fait part un jour, et ça l'avait fait sourire. Nous en parlions à nos enfants.

— Alors, on est juifs ? dit Clarisse.

— Peut-être, ai-je répondu.

— Chouette, s'est-elle exclamée.

Quelque temps plus tard, nous partons, Françoise et moi, pour un voyage musical en Pologne. On s'arrête à Cracovie, après Varsovie, après Chopin, et armés de ce seul nom et d'autres éléments qui laissent deviner une origine juive, nous sommes guidés par une interprète dans le vieux quartier juif, Kazimierz, et dirigés vers une librairie où l'on nous a signalé un documentaliste qui pourrait nous aider. Rien ne ressort de cette recherche. Nous finirons ce voyage en allant à Auschwitz. Nous en sommes revenus, comme tous ceux qui ont pénétré le monument de l'enfer, changés à jamais.

Finalement, il a fallu du temps, des coups de chance, un recoupement grâce à une ancienne collaboratrice de Marraine et une ligne sur une fiche d'étudiante, pour gagner la certitude du vrai nom : Slizien, qui m'a permis de dérouler la pelote, avec l'aide d'un de mes frères, Claude, qui a su se servir de Google. Et puis, j'ai sollicité une généalogiste polonaise, Magdalena. Aujourd'hui, on peut à peu près tout reconstituer — à peu près —, il reste autant de zones d'ombre qui sont autant de matière à roman.

Il y a une histoire, en effet.

4

Comment un comte polonais, richissime propriétaire d'une partie de la Biélorussie, identifié dans
les livres d'histoire comme un « magnat » — il y en
avait une cinquantaine qui régnaient sur le pays —,
rencontre-t-il une institutrice française, comment il
lui fait deux enfants (mon oncle et ma mère), et
comment et pourquoi ma mère ne l'a pas connu.
Surtout, comment et pourquoi ma mère, qui savait
tout, j'en suis sûr, n'a-t-elle pas voulu tout nous dire ?

Netka était la fille — bâtarde — d'un potentat
polonais, le comte Henryk de Slizien dont la famille
avait appartenu depuis le XVIe siècle à cette caste
de « magnats » qui possédaient d'immenses parties
du territoire de la Biélorussie. Le palace des Slizien
était situé quelque part au nord de Varsovie non loin
de Baranavitchy près de Dziewiatkowicze au cœur

d'une région qui s'étendait jusqu'à Minsk, d'un côté, et Vilnius, de l'autre. Grâce à mon frère Claude et à Google, j'ai sous les yeux une aquarelle représentant ce qui n'est pas un château, une demeure, un manoir, mais véritablement un palace : « Palace Slizieniow ». Des tours, des fenêtres, un donjon, une aire résidentielle, c'est grand, majestueux, impressionnant, des dimensions démesurées, c'est formidable. Netka a-t-elle été conçue là ? Aucune idée. Sa mère était-elle institutrice des enfants le jour, et amante du père la nuit ? Aucune idée. Ce qui est certain, c'est la richesse de ces familles, le volume de ressources qu'elles possédaient et exploitaient. Cette simple aquarelle dit tout : ces gens-là étaient les maîtres d'un système quasi féodal qui couvrait la Pologne.

Entre la Pologne et la France, il a toujours existé des liens, des affinités, des concordances. Claude, encore lui, a découvert une tombe au Père-Lachaise, à Paris, celle d'une comtesse Constance de Slizien née de Wolowicz, morte en 1841. C'est vraisemblablement, peut-être, notre arrière-arrière-grand-mère, du côté maternel. Est-ce alors, au cours d'un séjour en France, que le comte polonais a connu la Française Marie-Hélise ?

Marie-Hélise est « institutrice ». Née de père inconnu dans un petit village du Doubs, Émagny, tout près de Besançon. Sa mère était « journalière », c'est-à-dire ce que l'on appelait à l'époque « une fille de ferme ». Sa mère, Joséphine, était née, elle aussi, de père inconnu. On dirait qu'il y a comme une trace, pour user du langage des psys, sur trois générations : trois femmes « nées de père inconnu ». Fille de la plus modeste des origines, qu'est-ce qui destine Marie-Hélise à se retrouver dans les bras d'un comte polonais ?

Henryk est riche, il est puissant, il règne sur ses terres et ses métayers, ses centaines et centaines d'ouvriers agricoles, les exploitant à sa manière. La plupart d'entre eux sont des juifs. Grâce à Magdalena, j'ai reçu un jour une photocopie du portrait du « père inconnu ». Ce fut un moment rare : avoir acquis ce document représentait une étape importante de mon investigation. J'ai, entre les mains, le visage de mon grand-père. Un nez aquilin, un front dégarni, un regard perçant, une barbe, une moustache bien taillée, bien soignée, de la prestance et du sérieux, la certitude de soi, de la vie, et des autres. Ce qu'on appelle un « bel homme ». (« Il était debout sur un bateau, très droit, grand, une barbe... ») Il avait épousé, fort jeune, une Marie Ostroleka qui appartenait aussi à son milieu, et ils avaient cinq enfants, deux garçons et trois filles.

De sa rencontre avec Marie-Hélise et de leur liaison, d'où naîtront ma mère et son frère, nul ne connaît les circonstances. Il était de bon ton à l'époque, dans toutes les grandes familles polonaises, de faire apprendre le français à ses enfants quand on le parlait soi-même. Alors, on peut envisager les choses comme ça : Marie-Hélise, venue de nulle de part (sa propre mère ne la reconnaîtra légalement que dans sa vingtième année), a dû être très belle, attirante, intelligente. Henryk l'a séduite autant qu'elle a été séduite par lui. Où et comment ? Cela a peut-être eu lieu à Paris où Henryk va et vient. Ou peut-être aussi à Dziewiatkowicze, dans le gigantesque palace, où Marie-Hélise aurait pu faire office de préceptrice. En contemplant l'aquarelle du temps jadis, je peux imaginer ce qui se passe dans tant de familles : mensonges et faux-semblants, voyages inexpliqués, retour dans une fausse indifférence, non-dits, scandale qu'on étouffe. Henryk vit sa vie, sa double vie, sa femme se tait, les enfants aussi, le reste de la famille aussi, le château aussi. Il y a une « Suissesse » quelque part (ainsi distinguait-on la femme scandaleuse qui avait apporté le désordre dans le sempiternel ordre des Slizien) et cette « Suissesse » est une mauvaise femme, l'eau trouble, le nuage noir, car il ne s'agit pas ici d'un court et furtif moment d'adultère au cours duquel un comte fait l'amour avec une institutrice inconnue, et puis, voilà qu'elle disparaît. Non, il a sans doute fallu que ce soit une vraie histoire

31

d'amour entre ce jeune noble polonais et cette fille française d'une fille de ferme, puisque Henryk fait un enfant à Marie-Hélise. Ce sera leur premier enfant, un garçon. Henryk a accompagné Marie-Hélise à la mairie de Villepinte, en France, pour que soit enregistrée sa naissance. Pourquoi Villepinte ? Selon la fiche d'état civil établie par la mairie, Henryk s'est identifié comme « propriétaire rural » et a déclaré qu'il résidait dans un foyer familial de la ville. On donne au bébé le prénom français du père, Henri — mais le père ne le reconnaît pas. La liaison va perdurer, puisque à peine un an plus tard, un second enfant va naître, aussi illégitime que le premier.

C'est une fille. Ils la prénomment Henriette. Son lieu de naissance est encore plus énigmatique que Villepinte. Cette fois, c'est à Dresde, en Allemagne, que naît, « de père inconnu », Henriette Carisey. Comment et pourquoi Marie-Hélise est-elle venue accoucher à Dresde ? Proximité de la Pologne ? Sur le chemin du retour de Dziewiatkowicze ? Difficile d'imaginer Marie-Hélise, résidant, enceinte, dans le palace. Dresde a dû avoir une utilité — laquelle, peu importe — mais puisque la ville est inscrite sur ses papiers d'identité, Henriette, que le comte va surnommer Netka, se devait au moins de répondre. Elle ne peut, au moins, nier Dresde. Elle sait qu'elle est née là-bas.

— Pourquoi Dresde ?

— Comment veux-tu que je le sache ? Ils ont dû trouver que c'était pratique. Ma mère était une voyageuse.

Joli terme, prononcé après réflexion, comme si Netka cherchait le mot juste qui ne serait pas celui d'« aventurière » ou de « volage ».

— Ton père ?

— Je t'ai dit que je ne l'ai vu qu'une seule fois.

— Reparle-moi de la « voyageuse ».

— Je ne l'ai vue qu'une fois ou deux.

— À quoi ressemblait-elle ?

— Je n'ai pas envie de te dire qu'elle était belle. Je ne l'ai pas assez vue.

— Comment cela ?

— Mes premiers vrais souvenirs d'enfance remontent à Genève, chez Manny, où nous étions en pension, Henri et moi. Manny était une dame qui gardait des enfants, une amie de ma mère. Elle nous a confiés à elle, je ne sais pas à quel âge. On aimait beaucoup Manny, Henri et moi. J'y ai été très heureuse, jusqu'à l'âge de neuf ans.

— Tant d'années à Genève, avec ton frère, un an de plus que toi, tu dois bien, tout de même, avoir conservé des images, des souvenirs, des instants, des gens ?

— Oui, oui, je t'ai dit, j'y ai été très heureuse. Manny était comme une maman pour nous. Elle nous a bien éduqués. Elle nous a disciplinés. Je me souviens surtout de l'eau, et du lac.

C'est un peu court, mais elle n'en dit pas plus. Netka ne possède aucune photo de Manny.

— Il doit bien y en avoir dans un de mes tiroirs.

J'en découvrirai une, plus tard, quand je fouillerai sérieusement dans les tiroirs de la grande commode de la salle à manger, le paquet de vie de ma mère avant qu'elle rencontre Jean, le tournant de son existence, les lettres, photos, ses carnets de citations, ses poèmes. Sur la photo, il était écrit : « Genève, 1937 ». On y voit Henri qui marche le long du lac, Manny (si c'est bien elle) à son bras. C'est une personne qui semble en deuil, au visage long, émacié, sans doute Henri la soutient-il car le pas semble lent. Derrière la photo, les vrais prénom et nom de Manny : Fanny Sandoz.

Netka ouvre et referme son petit porte-photos, sa faculté d'oubli est si ample, je ne la crois pas simplement due à son âge. Elle a déposé une grande vitre de verre opaque sur les images du passé. Il ne reste que les moments décisifs.

— On a vécu avec elle et un jour, ma mère est arrivée — ma vraie mère — et elle nous a dit : « Les enfants, je ne peux plus vous laisser ici, je vous emmène en France. » On est partis. Quitter Manny était un déchirement. Nous avons beaucoup pleuré.

C'est, déjà, le deuxième abandon. Le premier, d'évidence, est intervenu à la naissance lorsque le comte Henryk et l'institutrice Marie-Hélise ont déposé leurs deux enfants — que le père n'a pas reconnus — à Genève chez cette Manny, « amie de ma mère ». Pendant neuf ans, le comte a financé tous les frais de pension des deux enfants. C'était un homme responsable. Là-bas, au château, au palace, et dans les cercles de la famille, ce scandale — cette maîtresse et ces deux enfants illégitimes —, cette double vie — cette trahison —, avait été étouffé, mais « tout le monde savait ». On parlait à voix basse de la « Suissesse », me confiera, sur son lit de malade, un cousin polonais que je suis parvenu à rencontrer.

5

Il était allongé sur un lit de l'hôpital Pompidou. Comment j'avais eu accès à lui n'a guère d'importance : tout cela s'était passé grâce à mon contact à Cracovie. Il s'est levé et nous nous sommes embrassés. Après tout, c'était mon « cousin », le fils d'une des filles du comte. Il avait ce même visage en longueur, des rides parallèles sur un front haut et dégarni, les mêmes traits que l'on retrouvait sur l'unique photo de celui qui était, aussi, mon grand-père.

Il était très affaibli — des problèmes de respiration, des troubles du cœur. Mais il avait la voix assez ferme, suffisamment pour me dire que jamais, jamais, la « Suissesse » n'avait mis les pieds dans le palace. À peine concédait-il l'existence de ma mère, et de mon oncle, les deux clandestins dont les noms figu-

raient sur l'arbre généalogique, foisonneux, prestigieux, de cette noble famille.

— Ce sont des fables, tout cela, elle n'a jamais été
la « perceptrice » des enfants, dont ma propre mère.
On n'a jamais vu la « Suissesse » dans la maison.

— Qu'en savez-vous ?

— Ma mère me l'a dit. Oui, bien entendu, il y a
eu une affaire, et cela a blessé tout le monde, mais
elle n'a jamais franchi le seuil du palace. Et personne
n'en parlait.

— Vraiment ? Votre grand-père — le mien,
donc — a bien connu et aimé Marie-Hélise, en
Pologne, ou ailleurs.

— En Suisse — ça a dû se passer en Suisse. On
l'appelait la « Suissesse ».

— Vous me l'avez déjà dit.

— Oui, oui, je sais.

Comme si l'idée que cette femme venue d'ailleurs, partageant une relation adultère avec le comte,
puisse pénétrer dans la superbe propriété des nobles
le révulsait. Il persista pendant quelque temps dans
cette attitude puis décida de se coucher à nouveau.
Il semblait épuisé. Je me suis approché de lui et lui
ai pris la main. Il était pâle.

— Nous sommes parents, d'une certaine façon,
lui ai-je dit.

— Je sais, oui. J'étais très curieux de vous connaître.

— Je n'ai pas cherché à vous irriter. Je cherchais simplement à en savoir plus.

— Vous ne m'irritez pas. Il y a, en vous, un peu du même sang qui est en moi.

Il parlait un très bon français. J'ai senti qu'il fallait le laisser en compagnie de la dame qui m'avait permis d'arriver jusqu'à lui.

— De toute façon, a-t-il lâché, tout s'est fini en 1920. Tout.

1920. Pourquoi cette année-là ? D'un seul coup, la source de financement est tarie. Le comte Slizien a été enterré vivant par les bolcheviks qui ont investi, réquisitionné, exproprié les grandes demeures et les habitants de Biélorussie et ont renversé l'ordre établi. La sœur du comte subira le même sort. Les enfants Slizien et leur mère furent épargnés. L'Histoire a pulvérisé tout ce système féodal. La Pologne, encore une fois, est une terre balayée, défaite. Terre envahie puis récupérée, puis reconquise, puis morcelée, puis renaissante. Il ne va, très vite, rien rester de l'univers de ce magnat, sinon la photo de ce bel homme sérieux et droit, sinon une silhouette sur un bateau, sur un lac entrevu par une petite fille nommée Netka. On n'a jamais rien su de plus que cela : « enterré vivant ». C'est tout.

— C'est Marraine qui nous l'a raconté, dit Netka. Elle nous a dit l'avoir appris par Manny. Notre mère ne nous a rien dit, puisqu'elle ne nous a jamais parlé de lui. Elle ne m'a jamais dit : « votre père ». Je ne l'ai jamais entendue prononcer le nom de son mari. Elle-même nous a enlevés à Manny, nous a confiés à Marraine, et elle est repartie — où, pour faire quoi ? — qu'en sais-je ?

6

« Marraine », voici qu'arrive ce personnage central dans l'histoire de Netka.

C'est une ancienne institutrice, elle a quitté l'enseignement public pour ouvrir, à Versailles, une maison où elle recueille des enfants, certains d'entre eux, orphelins. Clotilde est célibataire. Tous ses « pensionnaires » sont et seront ses enfants, elle va se donner à eux, toute sa vie, c'est sa passion, son unique activité, sa raison d'être. La maison de la rue Hardy peut abriter huit à dix pensionnaires. Il y a un jardin, parsemé d'arbres, entouré de murettes, une grande cour herbeuse. Les internes sont scolarisés, lycée de garçons, lycée de filles. Marraine tient une sorte de journal à l'intention de sa propre famille et elle écrit, à propos d'Henri et Netka : « La mère de mes deux pensionnaires me les a amenés, ne pouvant les garder plus longtemps. Les deux enfants sont charmants — de ma vie, je n'ai jamais rien vu de semblable : polis, dociles, intelligents, affectueux, ne se disputant jamais, trouvant tout bon, tout bien. Mais ils n'ont absolument rien à se mettre, que des chaussures trouées, pas de linge, pas de tabliers, rien. »

C'est Henri, et c'est Henriette, ou plutôt Netka, et ils trouvent « tout bien » ? Tout de même, ils ont été déposés par des parents inconnus d'eux auprès d'une dame qui leur a servi de mère pendant neuf ans. À peine construits, éduqués, leur mère génitrice les a arrachés à cette dame et les a confiés à une autre, comme deux valises, puis est repartie. Ils ont déjà traversé plusieurs frontières, le bébé né en Allemagne, l'autre en France, ils ont été « dispatchés » en Suisse, puis à nouveau en France, tout cela à l'âge où l'enfant a besoin de certitudes, on pense à ces bagages, dans les transports aériens, qui n'ont pas été livrés à temps, et qu'il faut « tracer » d'un aéroport à un autre. Eh bien, malgré tout, ils trouvent « tout bon, tout bien ». Ils ont débarqué dans un nouvel univers, celui d'une autre dame, ou plutôt demoiselle. Elle ressemble curieusement à la précédente. Comme si toutes les mères de substitution devaient être obligatoirement maigres, sévères, vêtues le plus souvent de noir.

Henri et Henriette vont s'adapter, c'est la vertu des enfants sans domicile fixe : ils savent s'adapter. Ce n'est pas qu'ils « savent », c'est qu'ils sont dans l'obligation de s'adapter — c'est l'exigence de survie. A-t-il fallu que Manny les ait construits, consolidés, pour qu'ils affichent ainsi, dans ce nouveau dépaysement, une « docilité » sans faille. Fallait-il aussi, sans doute, qu'il y ait en eux je ne sais quelle veine de force, de capacité à faire face à l'inconnu, l'inattendu. Peut-être, aussi, une manière de fatalisme, une acceptation : c'est comme ça, c'est ça, la vie. D'où venaient ces éléments, ces caractères ? Du sang des Slizien, ou du sang de Marie-Hélise ? C'est toujours la même chose : le plus passionnant des mystères, celui de l'héritage génétique. Le père, à l'arbre généalogique mirobolant, maître après Dieu d'une partie de la Biélorussie et de centaines de métayers obéissants — la mère, fille d'une fille de ferme dans le Doubs, ayant réussi à poursuivre des études suffisantes pour devenir institutrice, et, sans doute, « préceptrice privée » de noblesses étrangères. Elle devait être belle, Marie-Hélise, pour avoir conquis Henryk : ils devaient faire un beau couple, ces deux antagonismes.

Ils ont fait Henri et Netka. Ils sont beaux, eux aussi.

Ils suivent Marraine des yeux. Elle leur paraît familière, rassurante. C'est une femme mince, aux joues creuses, elle porte un chignon, ses lunettes sont d'un verre très épais, quasi opaque, elle sourit rarement. C'est un peu une deuxième Manny. Les deux abandonnés n'ont qu'une crainte, mais ils ne l'expriment pas : que surgisse à nouveau la mère génitrice pour les reprendre et les déposer entre les mains d'une troisième femme en noir. Mais tout semble ordonné, organisé, régulé, chez Marraine. On les inscrit dans leurs établissements respectifs : lycée de garçons, lycée de filles, où ils sont « penscos » dans la semaine, pour rejoindre ce qu'ils appellent vite la « Maison », à partir du vendredi. Ils aiment l'atmosphère qui y règne. Ils s'habituent rapidement aux autres jeunes gens, l'un d'entre eux est un jeune Turc, un orphelin, qui devient, phénomène classique, leur meilleur ami. Des liens se créent. Une vie s'échafaude.

La loi de l'argent réapparaît au bout de deux ans. Marie-Hélise avait conservé suffisamment d'économies, grâce à la générosité du comte, ce qui lui avait permis de financer le pensionnat des deux enfants après la mort de leur père. Mais la ressource prend fin. Elle ne peut plus verser d'honoraires à Marraine. Elle ne se rend même pas à Versailles pour l'en informer. Cela se passera par téléphone :

— Je ne peux plus vous payer. Il faut leur trouver autre chose, les mettre ailleurs.

Comme si c'était à Marraine que revenait ce rôle.

— Mais, Madame, je ne vois pas comment « les

mettre ailleurs », comme vous dites. Vous rendez-vous compte de ce que vous me demandez ?

Silence au bout du fil. Marraine comprend que Marie-Hélise a raccroché. Cette femme habituellement si calme, pondérée, mesurée, se casse en deux, se courbe sur le dossier d'un fauteuil du grand salon au rez-de-chaussée de la Maison. Elle hoquette. Elle suffoque. Elle ne résiste pas à sa propre colère. Puis, elle se redresse et se ressaisit. Quelques pensionnaires ont été témoins de cette scène, le téléphone étant posé sur un guéridon dans la vaste salle où ils se réunissent souvent. Ce ne sont plus des enfants. L'adolescence a déjà gagné leurs corps, transformé leurs comportements. Ils aiment parler. Ils parlent. Henri et Netka les entendent révéler que Marraine aurait dit à voix assez haute pour être comprise :

— Il va falloir que je leur trouve autre chose.

Marraine a emprunté l'escalier qui mène à son bureau, elle va vers la fenêtre. Elle voit Henri et Netka qui sortent dans le jardin. Ils s'arrêtent à la limite des pavés de la cour et du gazon.

C'était un dimanche matin, en mai. Henri et Netka aimaient déjà la Maison. Ils y avaient établi des habitudes, noué des amitiés, le doute — un des pires sentiments qui puissent atteindre des êtres jeunes — avait disparu, ou presque. Certes, il leur restait un fond d'inquiétude, elle ne les quitterait jamais tout à fait, l'inquiétude, il suffisait de scruter leur regard, mais enfin, ils avaient acquis un semblant de tranquillité — et voilà qu'ils se retrouvaient à nouveau face à l'inconnu. Il faisait beau ce jour-là, et une brise douce faisait voler les poussières de pollen autour des bosquets, comme un nuage plus éphémère encore que les quelques fins nuages dans le ciel. Lorsqu'ils se figèrent sur place et se lovèrent dans les bras l'un de l'autre, ils avaient l'air transis, frileux, malgré les effluves de printemps, incapables de bouger. Henri était un peu plus grand que Netka, il avait pris sa sœur contre sa poitrine. Aucun geste, deux corps immobilisés dans l'incompréhension, la peur et le silence. Marraine consigna dans son journal : « Ils avaient l'air pathétique. Ils avaient l'air si malheureux que je les ai gardés. »

Sur-le-champ, et pour les dix années qui vont suivre, Marraine va décider que ces deux enfants dont « je n'ai jamais rien vu de semblable » cesseraient d'être des pensionnaires de sa Maison, mais qu'ils deviendraient comme ses propres enfants. Elle obtiendra leur tutelle quelque temps plus tard, sous clause de « déchéance de la puissance maternelle ». Ce sont les termes employés par Netka, alors qu'elle me racontait cette étape de sa vie.

7

« La puissance maternelle », quelle étrange expression. On peut la retourner dans tous les sens.

On peut écrire que ce n'est pas de la puissance, mais une forme de possession, le pouvoir d'avoir, entre ses bras, une créature de faiblesse et de fragilité, dont l'évolution, jour après jour, heure après heure, va passionner la mère, va la transformer elle-même. La puissance d'une mère se traduit par ces simples mots : « Mon enfant, mon bébé » — puisque c'est elle, la mère, qui a reçu le droit de vie, le droit d'enfanter, le droit de créer, le droit d'avoir peut-être souffert, le droit d'aimer charnellement. La puissance maternelle, c'est le devoir d'éduquer et d'élever — puisque toute puissance exerce ses droits mais se soumet à des devoirs. En abandonnant totalement, et à plusieurs reprises, Henri et Netka, en ne leur donnant aucune tendresse, aucune chaleur humaine, aucun baiser, aucun de ces mille gestes qui constituent le quotidien d'une mère et d'un enfant, aucune odeur, aucun parfum, aucune caresse, aucun contact, aucune chance qu'ils renvoient l'amour qu'on leur a prodigué, Marie-Hélise est déchue dans sa « puissance maternelle ». Elle l'a perdue. De même que ses deux enfants n'ont pas connu l'amour d'une mère, Marie-Hélise n'a pas ressenti ce que Valéry appelle « la douceur d'être faible ». Sans doute en a-t-elle conçu quelque douleur, chagrin, remords, regret, et sans doute n'a-t-elle jamais conçu ce qu'il y a d'extraordinaire dans cette puissance. Elle n'a pas mesuré la force de cette sonate à laquelle seules les femmes ont accès — sans doute ne l'a-t-elle pas entendue. En abandonnant, elle s'est abandonnée.

Ainsi, de ce jour, Marie-Hélise est entièrement sortie de la scène. Avait-elle repris ses activités de préceptrice ? Qu'en savons-nous ? Rien ! C'est assez intrigant, j'ai pu, au cours de mon enquête, en apprendre plus sur mon grand-père polonais que sur ma grand-mère française. Aucune photo, aucun portrait, plus un signe. Elle disparaît. En relisant de plus près sa fiche d'état civil dont j'avais obtenu copie de la mairie d'Émagny, j'ai découvert un additif, écrit en lettres minuscules à l'encre noire, selon quoi elle s'était mariée en 1924 à un certain Joseph Tarare, à la mairie de Wissembourg, dans le Bas-Rhin.

8

Entre seize et dix-sept ans, il arrive à Netka le petit miracle de l'épanouissement de sa beauté.

Le charme et la différence. Ce regard et ces lèvres ne correspondaient pas aux canons de la jeune fille française des années 20. Il y a, chez elle, autre chose, ce que l'on peut appeler la « slavitude », une alchimie de gaieté et d'insouciance, une propension à se moquer de tout, avec, de façon contradictoire, la très forte trace d'une mélancolie. À peine visible, mais elle est là. C'est ainsi, du moins, que je crois pouvoir interpréter les photos de Netka, sur les bancs du lycée, où j'ai l'impression qu'elle illumine un agrégat de filles sans attraits — ainsi que, dans certains clichés, pris au côté d'Henri, bien cravaté et très sérieux, le visage aussi grave que celui de sa sœur est vivace et résolu, frondeur. Netka est entrée dans l'âge de la provocation, de la rébellion, l'affirmation de son indépendance, sa singularité. Son désir d'aimer et d'être aimée.

La surintendante du lycée de jeunes filles n'apprécie qu'à moitié le comportement de Netka. L'établissement bruisse d'un « scandale » dont elle est l'auteur. On convoque Marraine chez la directrice. On lui apprend que sa protégée a été renvoyée du pavillon vert où elle était interne pour l'exiler dans un autre pavillon (bleu). On reproche à Netka des « dessins obscènes ». Aujourd'hui, près d'un siècle plus tard, c'est à hurler de rire quand on lit le journal que tenait Marraine, et que l'on découvre le véritable contenu de ces dessins. L'un d'entre eux représente deux têtes, celle d'un jeune homme et celle d'une jeune fille, à peine rapprochés l'un de l'autre. « C'est obscène, on voit bien qu'ils vont s'embrasser », clame la directrice de l'établissement. Deuxième dessin : un couple danse le charleston. Tout ceci est plutôt bien dessiné, car selon Marraine, Netka a tous les dons, peut tout faire (dessiner, écrire, chanter) avec une facilité étonnante. Mais où est l'obscénité ? Quant au troisième dessin, intitulé « Rêverie », c'est celui du visage d'une jeune fille qui fume une cigarette. C'est tout, c'est cela le « scandale », c'est grotesque. Les dadames chargées du lycée de jeunes filles de Versailles avaient une étrange notion de l'obscénité. Circonstance aggravante, on découvre que Netka lisait en cachette une revue « inconvenante », dont le titre en disait long : *Midinettes.* Enfin, signe suprême de dangerosité : elle écrit des poèmes. Des poèmes d'amour, au lycée de jeunes filles de Versailles ? Subversion, pollution possible dans le pavillon vert, mauvais exemple.

Elle écrivait, en effet, des centaines de poèmes, elle a même gagné un concours de poésie pour lequel elle s'était inscrite à l'insu des autorités du lycée. J'ai retrouvé le diplôme, dans les archives, une immense boîte en carton beige, dans laquelle j'ai amassé tout ce que je pouvais lorsque, avec mes frères, nous avons partagé les restes de l'univers intime de Netka.

9

C'était en juillet, il faisait clair et beau, et, sortant sur le balcon où elle avait chaque jour contemplé la mer, on pouvait voir la baie, large, apaisante, immuable, et puis, plus près de nous, le port avec son incessant mouvement, les grands bâtiments, ferry-boats aux flancs rouge et blanc, se préparant au départ vers la Corse.

Il fallait vider l'appartement. Nous avons procédé à une répartition des objets, des petites choses de sa vie, ce que nos enfants nous avaient souvent demandé de leur garder, et qui leur rappellerait Mamika, cette grand-mère toute de gaieté et d'amour, qu'ils vénéraient.

— Quelque chose d'elle, s'il te plaît, quelque chose d'elle, j'aimerais bien la théière un peu haute, tu sais, celle avec des couleurs, des rayures colorées.

Accessoires, colifichets, babioles, brimborions, une petite aquarelle, un guéridon, un volumineux paquet de trente-huit albums de photos que l'on ferait numériser plus tard, et les livres, fallait-il tous les garder ? On se distribuait tout cela sans heurt, et lorsque nous avons ouvert la grande commode, nous avons trouvé des carnets de citations et de poèmes, la correspondance avec Jean, notre père, quand ils n'étaient pas encore mariés, mais amants, et des photos. Claude, alors, m'a dit :

— Tout ça, c'est pour toi, puisque tu vas raconter son histoire.

C'était unanime, dans ma famille. Un jour, Philippe racontera l'histoire de Mamika, Netka la bâtarde au sang polonais qui ne connaissait ni son père ni sa mère, et qui fut pour nous et toute notre descendance un modèle de générosité, d'altruisme et de tolérance. Claude me dit parfois :

— Je ne l'ai jamais entendue dire du mal de qui que ce soit, jamais. On aurait cru que, pour elle, le mal n'existait pas. Elle trouvait des excuses à tout le monde. C'était une consolatrice. J'aurais pu arriver chez elle les mains tachées de sang, et je lui aurais dit que je venais de commettre un crime, elle m'aurait répondu : « Assieds-toi, je vais te préparer une tasse de thé, ça n'est pas grave. »

La bonté de Netka, la gaieté de Netka, sa fidèle attention aux autres : « Parlez-moi de vous, de vos enfants, qu'est-ce que vous faites, comment va untel ou untel », mais elle nous parlait peu d'elle, ou si peu. Je lui arrachais des bribes du passé, prenais mes notes, puisque, un jour, « j'écrirais son histoire ». Et je n'ai pu me soumettre à cette injonction de mes frères et de mes enfants qu'une fois Mamika disparue. Et encore, j'ai beaucoup de mal, je n'y arrive pas. En vérité, je m'en veux. Car elle a eu une vie que l'on peut qualifier de romanesque, or je me sens incapable d'en faire un roman, je pense qu'il est plus honnête de dérouler le fil, séquence par séquence, à la recherche de la vérité de cette femme dont le visage, avec sa coque de cheveux sur son beau front de lycéenne « indécente », ne cesse de susciter mes questions. La réponse est-elle dans ses carnets de poèmes ? Ce sont des rêves d'amour, une attendrissante recherche d'amour avec l'évocation d'un « jeune homme pâle et tremblant », des stances romantiques, des rimes simples, il y a tout l'héritage de Lamartine, Verlaine, Musset, Nerval, Heredia, Mallarmé, Régnier, Prudhomme, et je trouve ceci :

J'ai mal à l'âme,
Oh laissez-moi,
Je veux le noir, le silence.

On a beau vouloir le noir et le silence, on est tout de même la plus courtisée, la plus brillante et la plus douée. Dans la maison de Marraine, pour les fêtes de Noël, c'est Netka qui va improviser une lettre destinée au père Noël et qu'elle lira sous les applaudissements. Au bal du lycée, en février, cette année-là, toujours la même, Netka est fêtée, entourée, elle « flirte avec les grands ». Mais il y a des matins cruels. Il y a celui de l'humiliation.

....
....
....
....
....
....

10

Ça s'était passé un matin comme les autres, en classe d'histoire, peut-être, ou de mathématiques, peu importe.

Pour une raison d'ordre administratif, un professeur devait vérifier l'identité de chaque élève. La surintendante lui avait remis les fiches des externes comme celles des internes. Le professeur était un homme au visage épanoui, content de soi, il aimait entendre le son de sa propre voix, il la modulait selon les mots et les phrases qu'il prononçait, il lui plaisait d'exercer son autorité, sa maîtrise des personnes et des lieux. Aussi prenait-il son temps, s'amusant à commenter les fiches en question :

— Ah, Mademoiselle Verbier, vos parents sont donc originaires de cette belle région du Nord ?

Ou bien encore :

— Eh bien, dites-moi, Mademoiselle Chenais, vous avez une mère bien féconde, beaucoup de sœurs et de frères, à ce que je vois. Les noms défilaient, avec les prénoms, Renée, Mireille, Lucienne, Dorothée, Marceline — des prénoms d'autrefois. Le professeur jouait avec ces sons, il les aurait presque chantés tellement il semblait jouir de cet exercice. Les jeunes filles se levaient à l'appel de leur nom, restant debout devant leur chaise, puis se rasseyaient. Tout ceci relevait d'un rite et se passait sans accroc, au plaisir narcissique du prof qui orchestrait les questions et les réponses.

Netka, « première en tout » — elle a remporté l'année dernière tous les premiers prix de la classe, malgré, selon Marraine, sa dispersion, son manque de travail assidu, un « penchant à la frivolité » —, Netka, donc, est assise au premier rang, la première chaise derrière la première table, à un mètre de l'estrade.

Elle s'était levée comme les autres, et le professeur avait semblé s'arrêter sur sa fiche, paraissant soudain surpris. Un étrange sourire naissait sur ses lèvres minces. Il avait baissé la tête afin de mieux déchiffrer le document entre ses mains, puis murmuré quelques mots, et il avait fait signe à Netka de se rapprocher de lui. Elle avait quitté sa table et franchi le court espace qui sépare le premier banc des élèves de l'estrade professorale. Il lui parlait à voix basse, mais comme le silence s'était brusquement fait à l'occasion de cette rupture inattendue du rite, on pouvait aisément distinguer quelques bribes de phrases. Quelque chose comme :

— Mais dites-moi, Mademoiselle Carisey, je ne vois pas ici la moindre trace du nom de votre père.

Netka avait rougi, s'était raidie, et avait voulu saisir le papier.

— Donnez-moi ça.

— Voulez-vous bien vous tenir, jeune impertinente !

Le ton avait monté, la voix du professeur s'était faite plus aiguë, celle de Netka plus grave — étrange inversion, le prof gloussait comme une fille, qui assurait, elle, comme un garçon.

— Donnez-moi ça, Monsieur, donnez-moi ça.

— Arrêtez, tenez-vous comme il faut.

— Donnez-moi ce papier.

— Voulez-vous bien vous comporter correctement ?

— Donnez-le-moi, Monsieur.

Dans la salle de classe, les autres élèves murmurent, on frétille, on susurre, on se questionne. Que se passe-t-il ? Des « chut » se font entendre, car si vous bavardez trop, vous ne pourrez pas suivre la curieuse scène qui se déroule au pied de l'estrade. Le professeur n'a pas voulu en descendre, et Netka a refusé d'y monter. La perversité de l'adulte va l'emporter sur ce qui aurait dû être sa bonne conduite. Il cesse de parler à voix moins basse, et dit avec assez de force pour que toute la classe l'entende :

— Vous le voulez, ce « papier » ? Très bien, puisque vous insistez, le voici, il s'agit de votre extrait d'acte de naissance, Mademoiselle l'insolente. Vous savez lire, ce me semble. Je n'y vois nulle part le nom de votre père, Mademoiselle Carisey, puisque c'est bien le nom de votre mère ?

Il tend le document à Netka qui met quelques longues secondes à le déchiffrer. Elle n'avait jamais lu les mots « née de père inconnu », tels qu'ils sont calligraphiés à l'encre noire sur une feuille officielle. Elle rend le document au salaud. Il recule vers son fauteuil. Elle rejoint sa chaise.

À Genève, elle était une enfant et même si elle n'avait entrevu son père qu'une seule fois (« il avait une barbe, il était grand, sur un bateau, sur le lac »), elle ne pouvait imaginer qu'il ne l'avait pas légale-ment reconnue. Elle n'avait pas pris la mesure de cette violence : être « un enfant naturel ». Violence des mots, violence de cette condition. À l'époque, une telle définition relève de la honte. Ces notions sont moins dépendantes aujourd'hui du regard et du parler des autres. Autrefois, c'était d'une tout autre dimension.

À Versailles, elle et son frère Henri, fin des années 20, ne sont plus un petit garçon et une petite fille, mais bien plutôt un jeune homme et une jeune fille. Netka a découvert son corps, elle a découvert ses désirs, ses rêves, elle a combattu la solitude grâce à l'amour que lui porte Henri, et au soutien et à la bienveillante affection de Marraine, qui n'a pas dévoilé cette vérité à Netka. Et voici qu'en pleine classe, aux yeux d'une vingtaine de lycéennes de son âge, face à un professeur vicieux et brutal, voici que Netka reçoit ce choc. Dans ce milieu fermé, cet établissement clos et bon genre où, chaque soir, les externes partent dans leur foyer respectif, et où seuls demeurent les internes, la condition d'une enfant dite « naturelle » est considérée comme une tare, une maladie honteuse, ce sont des choses dont on ne parle pas, et dans ce petit théâtre où se mélangent jeunes filles et adultes, on va beaucoup parler. Pendant un temps, même, on ne parlera que de cela.

Elle a fini par rejoindre sa place, la classe a difficilement repris. Lorsque la cloche a sonné, annonçant la fin du cours, Netka, éprouvant quelque mal à se lever de sa chaise, a vu passer devant elle tous les regards, tous les gestes de ses camarades, allant du sourire embarrassé à un ondoiement poli du corps, un roulement pudique des épaules, ce qui se dit sans paroles, puisque le corps parle. Le corps dit tout, plus que le verbe. Ces élèves, désormais, ne devront plus seulement regarder Netka comme la plus brillante, la plus jolie, la plus flirteuse, la plus courtisée, la plus jalousée, la plus effrontée (dessins indécents), mais aussi comme la plus différente, celle qui va, forcément, se séparer des autres puisqu'elle n'est pas comme eux : c'est une bâtarde.

Si l'on veut comparer une vie à un mille-feuille, dont chaque tranche s'accole à l'autre, la couche la plus importante reste la première, les premières — et elles demeurent, quel que soit le changement du mille-feuille. La scène de la honte et de l'humiliation appartient aux feuilles premières. J'en suis venu à me demander si la honte éprouvée pendant et après cette épreuve n'expliquait pas tous les silences de ma mère devant nous. L'orgueil, ou plutôt la fierté l'ont poussée à tout taire. Elle avait honte de révéler son histoire à ses enfants. Et honte d'avoir eu honte. Il est des moments qui ne durent pas plus d'un moment et qui durent le reste d'une vie.

Je lui ai demandé, un jour, de me parler un peu plus de Genève. J'ai insisté : quand même, elle y avait vécu près de dix ans. Avec sa voix un peu cassée, ses yeux souriant derrière ses lunettes, elle a égrainé les mots que j'ai, plus tard, retrouvés dans un de ses poèmes :

Là-bas, le bleu profond des chaînes du Jura.
Les cygnes sur le port tranquille.
Des femmes en toilette d'été, chapeau dans la main, cheveux
en arrière.
Des feux glissant la nuit, sur le lac.
Du casino voisin, on entend un violon qui pleure.
Et le ciel est bleu ainsi que l'eau bleue.

C'est tout.
— Et Versailles ?...
J'ai insisté, là encore.
Elle y avait vécu à peu près la même durée qu'à
Genève. Elle parlait surtout de la « Maison », l'ave-
nue Hardy, et d'Henri et du jeune orphelin turc qui
s'appelait Arif. Elle avait écrit sur l'un de ses carnets
de notes :
« Versailles, ville morne et silencieuse, je t'aime
d'être en dehors de l'événement. »
— Oh, tu sais, j'y ai été très heureuse, car il y avait
Henri, il y avait Marraine.

Si l'on considère bien les choses, Henri constitue
sa seule et unique famille. Certes, Marraine est là.
Elle a toujours été la protectrice, gardienne, institutrice, celle qui avait été bouleversée par la solitude de
deux enfants qui se croyaient une nouvelle fois aban-

donnés et qui décida de conserver Netka et de la traiter comme sa propre fille. Qui connaissait une partie de ses incertitudes, ses angoisses. Qui s'attristait de ses écarts de conduite, trop d'insolence peut-être, trop de liberté dans l'attitude face aux garçons, mais tellement de brillance et de promesses. Marraine croyait voir dans le diplôme de poésie, gagné par Netka, les possibilités d'une carrière littéraire, artistique, empruntant un chemin singulier, puisqu'elle était si différente de ses autres pensionnaires. Marraine dira toujours, beaucoup plus tard, en parlant des enfants et de leur père, le mari de Netka, tous des « hommes » :

— Ils ne se rendent pas compte à quel point elle était brillante et forte, une telle intelligence, un tel talent ! Elle aurait pu tout faire, tout réussir.

Comment pouvions-nous en savoir plus sur cette jeune fille en train de devenir une jeune femme puisque ses propres souvenirs étaient volontairement passés sous silence ?

Henri était plus timide que Netka, plus réservé et déjà, en apparence, habité par son destin. Sa photo est partout présente chez Mamika. Sans doute nous a-t-il pris plusieurs fois dans ses bras, mais nous étions si petits que je n'ai aucun souvenir, physique, concret, de cet homme, mon oncle, que ma mère aimait tant. Les photos montrent un visage beau et limpide, il sourit peu, il a des traits fins, une allure volontaire et déterminée. Calme et pondéré, il n'a jamais défrayé la chronique du lycée de garçons. On ne lui connaît aucune convocation chez le surintendant, aucun dessin « indécent », aucun comportement séditieux. En fin de semaine, lorsqu'il retrouve sa sœur, ils ont, ensemble, de multiples conversations complices, il y a toutes ces connivences, ce réseau invisible, cette toile arachnéenne de souvenirs partagés et de questions jamais tout à fait éclaircies. Il fréquente aussi les autres jeunes gens et toute la population de la « Maison ». Il va emmener Netka au bal de Saint-Cyr, le grand bal, l'un des événements le plus importants de la vie versaillaise.

Marraine appartient à une famille dont tous les hommes furent militaires. Elle envisagera très tôt qu'Henri puisse être candidat à Saint-Cyr. Il ne refuse pas cette perspective, ça le séduit. L'armée, la « coloniale » qu'il choisira plus tard, c'est pour lui la certitude du départ, de l'itinérance, de chemins et de pays inconnus, traversés en uniforme. Et précisément parce qu'on n'est pas tout à fait français, c'est l'affirmation d'appartenir à la France. Certes, lui n'est pas né à Dresde, mais à Villepinte. Je rappelle que l'état civil faisait état d'un « propriétaire terrien » du nom de Slizien qui l'a présenté à la mairie, accompagné d'une certaine Marie-Hélise Carisey, mais le nom du père ne figure pas sur l'acte de naissance, sinon que l'on mentionne sa présence auprès de la mère. Henri était donc, lui aussi, « né de père inconnu », sauf qu'il ne connut jamais la séance d'humiliation devant les autres, au lycée, ou ailleurs. Afin d'obtenir le droit de passer les concours pour entrer à Saint-Cyr, il lui faut être officiellement adopté par Marraine. Ce qui sera fait. Il va désormais porter son nom (Magny). Ainsi régularisé, officialisé, ayant changé d'identité, pénétrant dans la vie civile et civique normale, il va pouvoir franchir, et il le fera vite, les étapes qui le conduiront vers une vie d'officier de carrière, en plein avant-guerre, puis vers la « drôle de guerre » ponctuée d'emprisonnement, d'évasion, de retour aux drapeaux et d'une série héroïque qui le mènera jusqu'à devenir commandant en pleine guerre de 40-45.

Cette adoption, pourquoi Netka n'en bénéficie-t-elle pas ? Ceci est toujours resté, pour moi et quelques autres, une notion peu compréhensible. J'estime et éprouve une admiration profonde pour la façon dont Marraine a aimé, aidé, éduqué, protégé et sauvé Netka. Comment elle a toujours veillé à ce qu'elle obtienne des bourses d'études, comment elle a toujours pris un soin particulier de sa tenue, de ses robes, de ses vêtements, rien d'ostentatoire, certes, puisque Marraine vivait à l'économie et que la « Maison » devait être gérée, un sou était un sou, il n'empêche, rien n'était trop beau pour Netka. Au bal de Saint-Cyr, dans une robe étincelante argentée, elle était ravissante. Je sais tout cela, je connais tout cela, et je l'ai suffisamment compris pour ne pas me permettre de juger le choix, ou plutôt, le non-choix de Marraine. J'ai trop de respect pour celle qui a contribué à ce que Netka devienne une femme cultivée, courtoise, férue de littérature et de poésie. Marraine n'a cessé de chanter ses talents, mais je me suis tout de même interrogé : n'était-ce pas là un nouvel acte d'abandon ? Combien de fois l'aura-t-elle vécu, supporté, combien de fois aura-t-elle été blessée ? Elle est d'abord ignorée par un père, dès sa naissance à Dresde. J'ai le bulletin de naissance d'Henriette Carisey, en allemand, obtenu auprès de la mairie de Dresde. Il n'y est fait nulle part mention d'un père :

MUTTER
Familienname : CARISEY
Geburtsname : – / –

VATER
Familienname : – / –
Geburtsname : – / –

Elle est ensuite délaissée par sa mère, à plusieurs reprises, dès l'origine, puisque sa mère confie Netka et Henri à cette Manny dont je ne sais rien, et qui, ensuite, fera, pendant neuf ans, le bonheur de deux enfants à Genève. Lorsqu'elle n'était qu'un bébé, a-t-elle jamais été embrassée, cajolée, caressée, a-t-elle jamais connu la chaleur de la peau, des lèvres, des mains de celle et celui qui l'ont mise au monde ? Le souffle, le parfum, la douceur d'une mère ? J'ai déjà parlé de ce manque. Cette absence d'affection charnelle, du toucher, du ressenti. Il me semble que « le lait de la tendresse humaine », cette formule attribuée à Shakespeare et souvent reprise par Mauriac, s'il crée une double dépendance (la mère en a besoin autant que l'enfant), doit aussi apporter satisfaction, réassurance, goût de la sensualité, besoin de l'autre, appétit d'amour. Netka en a été privée. On l'arrache à Manny pour la déposer à Versailles entre les bras d'une autre inconnue, Marraine, ce qui peut être considéré comme un nouvel abandon. Enfin, quelles que soient les raisons du choix de Marraine, Netka n'est pas adoptée comme l'a été son frère. C'est une autre forme d'abandon. (J'en compte quatre.) Cela fait beaucoup pour une jeune femme et pour une jeune vie, et il paraît difficile de reconstituer la scène au cours de laquelle Netka aura appris ça. Autant je peux me permettre, de temps à autre, dans ce livre, de reconstituer, de manière quasi fictive, certains instants de la vie de Netka, autant je ne vois pas comment raconter ce qui, j'en suis fermement convaincu, a constitué un choc. Ç'a dû être amer, sec, aigre, surprenant. Netka a-t-elle pleuré, protesté, a-t-elle lancé un :

— Et moi ?

C'est à peu près au cours de cette période que Netka, au sommet de sa beauté et de son charme, a multiplié les flirts, les laissant tomber aussi vite qu'elle les avait allumés, et a couvert des carnets entiers de poèmes désenchantés, voire désespérés. Je reviens à ce moment d'abandon.

— Tu n'as pas demandé pourquoi à Marraine, tu n'as pas protesté : « Pourquoi Henri et pourquoi pas moi ? »

— Non. Marraine m'a simplement dit : « De toute façon, tu es belle, tu te marieras, et tu porteras alors le nom de ton mari. Tu es jeune et belle. » Et nous n'en avons pas plus parlé. Je ne lui en ai jamais voulu. J'étais heureuse pour Henri. Je me suis contentée de suivre ses progressions dans la vie militaire et j'ai accepté.

Derrière ses lunettes aux verres teintés, ses yeux reflètent une sorte de sérénité amusée : pourquoi poser de telles questions ? Quelle importance, aujourd'hui ? Refuse-t-elle de replonger dans ce passé d'abandons successifs ? Ma mère est un bloc d'orgueil et de ténacité, un bloc du refus de se plaindre et d'apitoyer les autres. Comme autrefois, elle décide de vivre dans le temps présent. Malgré des problèmes de santé et d'âge, elle descend tous les jours à la piscine du parc, nos enfants sont là, ils l'attendent, elle va pouvoir jouer avec eux, ils espèrent qu'elle continuera de leur apprendre à plonger, elle va passer des heures à leur enseigner la natation, puis à tous les enfants des autres familles. Quand ceux-ci la voient apparaître, ils se dirigent tout naturellement vers elle, sa gentillesse, sa générosité, elle irradie dans la conquête de chacune de ces jeunes vies. Nous nous souvenons de cela, de ces séances de jeu interminables, des gâteaux d'anniversaire, des bébés dans les bras, des rires à propos de tout et de rien, et cette singulière propension à ne parler que des autres, qu'aux autres.

C'est cette Mamika-là qu'il faut raconter, insiste mon frère Claude, cette mère, ou plutôt cette grand-mère qui ne suscitait que bonheur et émotion.

— Arrête donc de vouloir n'en faire qu'une victime, arrête de la décrire comme la malheureuse petite Polonaise délaissée, humiliée ! Elle, dont chaque jour, chaque rencontre était un événement d'enchantement pour qui que ce fût, les amis, les voisins, des inconnus, et avec Maïté, qui fut un modèle d'abnégation lorsqu'il devint évident que Netka ne pourrait plus vivre seule. Toutes ces présences, tous ces enfants. C'est la vraie Netka, insiste Claude.

Certes, et je l'accepte et je me souviens d'elle aussi, bien entendu, de cette manière. Néanmoins, dans ma curiosité de comprendre son destin, je ne peux m'empêcher, lorsque je la vois, de l'interroger, tenter d'en savoir plus et comprendre, puisqu'une partie entière d'elle-même demeure dissimulée, voire mystérieuse.

Au passage, autre mystère, et qui n'est pas des moindres, j'ai retrouvé, pendant mon recensement des archives et des photos, un cliché d'Henri, en train de marcher dans une ville qui n'est pas identifiée, au côté d'une jeune femme, dont il est écrit, sur le dos de la photo, qu'elle est l'une de ses demi-sœurs, une des filles légitimes du comte Slizien. Cela prend une curieuse signification : on doit être dans les années 30 et quelques, cela signifie qu'Henri, devenu officier, sorti dans les hauts rangs de Saint-Cyr, a fait des recherches, sans doute par l'intermédiaire de Manny, et a retrouvé des membres de « sa famille ». Il a même effectué le voyage. Est-ce à Genève, est-ce à Varsovie ? En a-t-il parlé à Netka ? Pourquoi ne l'a-t-elle pas accompagné ? Qu'en a-t-elle dit ? Rien. Il paraît même qu'Henri aimait bien l'une des filles, qui ressemblait à Netka. Qu'en a-t-elle dit ? Lui a-t-il conté leur rencontre et quel genre de femmes étaient ses demi-sœurs, qui avaient le même père qu'elle ? On peut se douter qu'il lui en a parlé. Elle ne nous en a jamais rien dit. Rien. D'autant que sa vie, encore une fois, va basculer.

11

Netka a vingt ans et la « Maison » doit être rendue à ses propriétaires.

Marraine reste un temps dans les murs, mais elle repartira plus tard, et « ses enfants » se disperseront. Elle suivra toujours Netka de très près. La jeune femme a eu son bac de philo, s'est inscrite en droit, et, grâce au soutien de Marraine, a obtenu une bourse qui lui permet de loger dans une maison des étudiants, dirigée par une femme intelligente et bonne, ce sont les termes de ma mère lorsqu'elle en parle. C'est alors que vont se dérouler deux années de tristesse et de cafard. Il suffit pour le savoir de lire ses écrits, ses poèmes. Grâce à ses connaissances en matière de droit, elle va intégrer l'administration comme fonctionnaire pour gagner sa vie, au ministère de la Défense, situé, à l'époque, au début du boulevard Saint-Germain. Elle s'y ennuie, elle subit une domination, déjà latente chez elle, celle du poids de la mélancolie.

« Vilains bureaux, cartons poudreux, liasses, documents terriblement vieux... c'est comme quelque chose qui s'écroule sur mon pauvre rêve, l'odeur des papiers, des vieux messieurs grognons qui s'assoient sur leurs vingt années de service et pour qui je fais des additions et pour lesquels j'écris, mais ceci n'a rien à voir avec ce que je voulais écrire auparavant, avec mon ambition de poète. Alors, j'avais fait des rêves de grandeur et ils se dispersent dans la froideur anonyme d'un ministère... » C'est à partir de cet instant que, dans la plupart de ses poèmes, Netka évoque son « rêve de gloire ». Un concours de poésie remporté, des poèmes qui éblouissent Marraine auraient-ils donc suffi pour qu'elle rêve ainsi de gloire ?

Je crois la voir, sortant du ministère, empruntant le boulevard Saint-Germain pour rejoindre, à pied, en bus ou en métro, c'est selon, la maison des étudiants où elle a vécu quelques intrigues, dont une qu'elle va qualifier d'« incidence amoureuse ». Elle n'évoque cet épisode qu'à demi-voix dans ses poèmes. Il y a eu, au moins, un amour contrarié : le « pâle jeune homme troublant qui ressemblait à l'amour », mais il n'a pas suffi à combler son besoin. Les autres jeunes hommes qu'elle a pu connaître semblent ne lui avoir laissé que regrets et désillusions. Je crois voir, ou, plutôt, j'aimerais croire voir cette belle jeune femme au visage singulier, marchant droite, la tête pleine de rêves brisés, avec des souvenirs de la pension de Marraine. (« C'est affreux quand on part. Six ans dans cette cour, six ans d'internat. Le spleen souvent, mais des joies aussi, ce fut très dur. ») Elle pense à Henri, qu'elle va revoir de moins en moins fréquemment, et répète poème après poème, cahier après cahier, son besoin d'amour, son appel à l'amour, sa nostalgie, son isolement et surtout la sensation que, déjà, sa « jeunesse » est derrière elle. Et son fantasme de gloire disparu. Pourtant, elle n'a que vingt ans. Ce que je peux lire d'elle dans ses poèmes traduit un sentiment de vide, de creux, cette angoisse qui vient quand on aborde ce que l'on appelle platement « la vraie vie » et qui, précisément, n'est pas la vie vraie.

Néanmoins, ceux et celles qui l'ont connue pendant ces années grises se souviennent aussi de Netka comme d'un être pétillant, drôle, séduisant, doté d'une exceptionnelle curiosité, avide de culture, citant poètes et philosophes, les romanciers de l'époque, caricaturant les fonctionnaires qu'elle a côtoyés pendant sa journée, de la même façon qu'elle avait caricaturé en un dessin, au risque de se faire renvoyer du lycée, un professeur aux gestes mécaniques, une boursouflure d'homme. Il ne cessait de pousser des gros soupirs entre chaque phrase, et Netka l'avait transformé en machine à vapeur. Ainsi faisait-elle rire ses amis de la maison des étudiants. Inventions, facéties, gaieté, occupant le devant de la scène — si étroite que fût cette scène. Cependant le soir, dans sa chambre vide et banale, aux murs d'un mauve pâle, elle remplit ses petits carnets à couverture verte de poèmes sur le temps qui passe, toutes les choses qui glissent entre vos doigts : « Je me sens seule, seule, je pense qu'il en sera toujours ainsi, seule devant l'avenir monotone. »

Et pourtant, plus loin dans le même carnet, revoici Netka, la fière, la tenace, celle qui ne lâchera rien et qui est habitée par une sourde certitude que cela ne peut durer. Elle écrit : « C'est assez, tourner la page ! »

Dans ce « tourner la page », on peut deviner l'autre facette du caractère entier de Netka. À aucun moment de sa vie, avec nous, avec son mari, elle ne s'est longtemps arrêtée sur une page qui aurait pu lui sembler sombre. Sa nature même, forgée, selon moi, par les abandons successifs, ne l'a pas empêchée de déployer une volonté d'avancer puisqu'elle obtint avec facilité diplômes et résultats, succès au lycée. Cette ténacité l'emporte sur la tentation de l'épanchement solitaire et morose. La complaisance de l'ennui quotidien, la routine d'un ministère ? C'est assez, tournons la page ! Et puis, et aussi, elle sort, elle décide de se montrer. Elle veut « réussir ». Elle va au théâtre, elle utilise à loisir sa carte de presse.

12

— Comment ça, une carte de presse ? De quoi parles-tu ?

— Elle n'en a jamais parlé. Je ne l'ai jamais su, j'ai découvert ça dans ses papiers et cartons, lors de la répartition de ses souvenirs, rappelle-toi, tu étais avec moi. Ça m'a surpris, et ravi, je dois dire. Netka journaliste !

— Mais quel genre de carte était-ce ?

— Oh, c'est assez joli, très désuet, bien sûr, avec des majuscules partout, c'est un carton de couleur bleuâtre au nom du journal *L'Essor artistique*, avec la liste de ceux qui le patronnent : une dizaine de noms prestigieux de l'époque, en particulier Jane Catulle-Mendès, André Maurois, un académicien nommé Édouard Estaunié, Albert Lambert, le doyen de la Comédie-Française, et puis Lucie Delarue-Mardrus, un nom qui me dit quelque chose, je vais chercher, je crois que cela devait être une poétesse. Quand j'y pense, je fais du journalisme depuis l'âge de vingt ans et elle ne m'a jamais parlé de cette carte de presse. Ni de ses réussites journalistiques ! Je n'en reviens pas ! Quand j'ai grimpé quelques marches de notoriété, quand j'ai fait la « une » de *France-Soir* pendant l'affaire Kennedy, quand j'ai dirigé RTL, quand j'ai écrit des portraits de « gens de toutes sortes », chaque fois, je lui transmettais des photocopies. Elle était la première à qui j'envoyais chacun de mes livres, tout ce qui faisait ma fierté et, je l'espérais, la sienne. Crois-tu qu'une seule fois, elle m'aurait dit « Tu sais, moi aussi, j'ai été journaliste » ? Jamais.

— Arrête de parler de toi, s'il te plaît. Qu'est-ce qu'elle dit d'autre, cette carte ?

— Ceci : « *L'Essor artistique*, 4-6 rue Bézout, à Paris, et aussi, 7 bis rue d'Alsace-Lorraine, à Nevers, "accrédite" Mademoiselle Netka Carisey », car elle ne dit plus Henriette, mais Netka, « en qualité de Rédacteur Correspondant et prie MM. les directeurs de théâtre et MM. les Commissaires d'Exposition de bien vouloir lui faciliter l'accomplissement de ses devoirs professionnels ». Cette recommandation sur la carte est signée du directeur, un certain Étienne Roche, et puis à gauche, il y a une photo de Netka, la journaliste. J'imagine qu'elle faisait ça en dehors de ses heures de fonctionnaire au ministère de la Défense. La carte est « valable pour l'année 1930 et 1931 ».

— Comment est-elle sur la photo ?

— Je te la montrerai. Elle a, de façon plus évidente quand on compare avec les photos des bancs du lycée, ce visage sérieux qui semble porteur d'un mystère et des yeux perçants, scrutateurs, le nez droit, des lèvres parfaitement bien dessinées, égales sans être conformes, la lèvre inférieure annonce ce que nous, ses enfants, connaîtrons d'elle, plus tard, c'est-à-dire le don d'aimer et de rire. Il y a encore, sur son front large, la coiffure typique de l'époque, avec sa coque côté gauche qui se prolonge par une mèche sur la tempe. L'accroche-cœur. C'est un visage sur le point de sourire mais qui ne sourit pas vraiment. Ça la rend encore un peu plus intrigante.

— À t'entendre, elle est magnifique.

— Oui.

Cet adjectif a tellement été galvaudé que j'hésite toujours à l'utiliser. Tout, aujourd'hui, est « magnifique » : le moindre film, le moindre livre, le moindre spectacle, le moindre geste sportif, la moindre chanson, le moindre macaron, la moindre doudoune ultralégère, tout est « un chef-d'œuvre », tout est « magnifique », tout est superbe, sublime. Cette manie est particulièrement vérifiée dans l'univers du sport et du cinéma. On dirait que les gens ont oublié la définition exacte de cet adjectif : « Ce qui a une beauté, une somptuosité, ce qui est plein de grandeur et d'éclat. »

— Tu exagères un peu, peut-être ?

— Peut-être, oui. Peut-être non. J'essaye de ne rien exagérer quand je parle de Netka. Je n'écris pas ce livre à sa gloire, j'essaye d'être objectif, j'essaye de comprendre, de reconstituer, quitte à imaginer certaines séquences, bien évidemment, aucun de nous n'en a été le témoin, mais je ne peux m'empêcher, lorsque j'examine cette attendrissante et vieillotte carte de presse des années 30 du siècle dernier, quand j'étudie ce regard, de retrouver, oui, qu'il possède ce que l'on appelle de la lumière.

13

La lumière, Jean Labro, cet homme de quarante ans, cet inconnu, qui arrive soudain au milieu de mon récit, la lumière, il l'a instantanément reçue.

Netka sort certains soirs avec des amies au théâtre, mais elle accompagne aussi Marraine pour je ne sais quel dîner en ville, quelle réunion autour d'une tasse de thé. Ce soir-là, on est allé dans le XVIIe arrondissement, près du parc Monceau, chez les Soubeyre, un couple bourgeois, qui organise des parties de bridge entre amis. C'est très sage, calme, compassé, et, d'une certaine manière, Netka craint d'y retrouver l'ennui du ministère. Mais, enfin, les gens parlent, on s'agite, on agite des idées et Jean, venu là pour jouer au bridge, ne va vite s'intéresser qu'à elle.

C'est un homme imposant, de haute taille, le front déjà dégarni, des tempes grises qui tournent au blanc, un nez épais, une constitution d'athlète, il s'habille avec recherche, presque comme un dandy. Sous le col blanc cassé, le nœud d'une cravate de soie est mince, serré, vite recouvert par un gilet aux boutons nacrés, un fin tissu blanc plié en triangle dépasse juste ce qu'il faut de la poche sur le côté gauche de la poitrine. Le costume, d'évidence, est sur mesure. Il y a, derrière ses lunettes cerclées d'acier, légères, et qui vont bien à son visage, le regard d'un homme qui a beaucoup vécu, beaucoup voyagé et entrepris avec succès son métier, le conseil juridique et fiscal. Il a quarante ans, elle en a vingt.

Elle est tout aussi attirée par Jean qu'il l'est par elle. La partie de bridge terminée, Marraine servant de chaperon, Jean va entreprendre une cour pressante, continue, il émet le vœu de la revoir, il obtient aisément un rendez-vous. Il est sous sa lumière, elle est sous son verbe, sa culture, sa maturité. D'autres rendez-vous se succéderont, de plus en plus intimes. Voici deux êtres que vingt ans séparent. Il lui reste sa mère. À dix-huit ans, il a perdu son père, ce qui l'a forcé à accélérer ses études pour passer par l'administration des finances, avant de s'installer à son propre compte. Il a lutté, il vient de loin, son grand-père était un ouvrier agricole, son père conduisait un tramway dans les rues de Cahors. Il s'est fait tout seul, il a connu, disait-il, la pauvreté, puis il a su créer, autour de ses clients, une confiance et un crédit qui lui valent désormais de bien gagner sa vie et de la conduire comme il l'entend. Cet homme a eu de nombreuses aventures féminines, ce qui se dévoile quand je relis les dizaines de ses lettres envoyées à son meilleur ami et qui m'avaient été transmises lorsque j'écrivais un roman consacré à notre enfance sous l'Occupation et l'attitude de nos parents face aux nazis*. J'ai trouvé, dans ces lettres, une intense dose de misogynie, et la certitude qu'il ne pourra faire sa vie avec qui que ce soit, aucune femme, et qu'il ira ainsi de maîtresse en maîtresse, d'amour provisoire en amour passager, jurant et espérant qu'il ne se passera rien de plus, rien d'autre que cette routine de célibataire — un homme avantageux, séducteur mais blasé, convaincu que la notion de couple n'est pas faite pour lui, refusant toute forme d'attachement durable. Convaincu, même, qu'à l'âge de quarante ans sa vie est close, finie. Cette correspondance révèle un homme pessimiste, qui voit la nuit tomber sur l'Europe (on est au milieu des années 30 et il prévoit la catastrophe qui conduit au nazisme et à la Seconde Guerre mondiale) et qui n'attend plus grand-chose d'une existence qu'il pense quasi achevée.

À l'époque, pour un homme comme Jean, le tournant de la quarantaine semble presque un dernier chapitre, radicalement autre que ce que cela représente aujourd'hui. Seulement voilà : une jeune femme surgit brusquement. Elle possède un mélange

* *Le petit garçon*, 1992, Éditions Gallimard. (Folio n° 2389.)

de séduction slave et de limpidité, elle rit, sait faire rire, et passe soudain à une attitude de réflexion et de subtile tristesse, elle peut terminer les poèmes qu'il lui cite lorsque ce n'est pas lui qui finit ceux qu'elle a récités. Ils découvrent ce que l'on appelle les affinités électives. Seulement voilà : il y a eu cette première soirée de bridge quand, au milieu des propos des autres, recouverts de convention et d'ennui, une rencontre s'est faite, en quelques regards, ces instantanées et inopinées étincelles de goûts communs (la poésie, la littérature, le respect de la nature), et s'il est trivial ou banal d'utiliser le terme « coup de foudre » qui ne veut rien dire, qui n'est qu'une métaphore, une image facile pour définir ce qui est beaucoup plus complexe : la conjonction immédiate de deux sensibilités, la découverte réciproque d'une connivence, une alliance, un désir partagé, une harmonie, il a eu lieu. C'est arrivé. Et bien que, précisément, ils n'aient rien en commun, ni l'âge, ni la profession, ni l'origine, ni les expériences, ni le statut d'état civil, ils vont s'aimer.

Jean va l'aimer non seulement pour son éclat, mais parce qu'il a senti, mieux que d'autres, tout ce que Netka renfermait d'inquiétude et de fragilité. Un puissant désir de protection va s'emparer de cet homme jusqu'ici solitaire, voire égoïste. J'ai conservé une lettre qu'il m'avait adressée à Alger, alors que, deuxième classe du Train, dans le danger et la solitude, à la CRT10, je vivais de patrouilles de nuit en séjours en taule pour indiscipline. Mon père avait une passion pour les lettres, il y mettait parfois plus que dans nos tête-à-tête, comme si l'écriture le libérait de sa retenue, la distance physique entre lui et nous, ses garçons. Avait-il senti, dans mon propre courrier, mon besoin d'en savoir plus sur Netka et lui-même, alors que la mort n'était pas loin ? Toujours est-il qu'il m'envoya ce portrait :

« Ta mère avait, à l'époque, avec une grâce de tanagra, l'exquise modestie d'une enfant que la vie avait à peine touchée. Ses gestes étaient doux, sa voix musicale, son attitude réservée. Elle posait sur le monde des yeux clairs où se reflétait toute l'innocence des paradis de Rimbaud, et, bien qu'elle ne fût pas naïve, elle dégageait un sentiment de pureté qui rafraîchissait le milieu où elle évoluait. Elle était, tu le sais, orpheline, abandonnée ou presque, dans un univers plein d'embûches où elle aurait pu être souillée mais non perdue — car une âme comme la sienne ne peut se perdre, sinon dans l'amour et le dévouement. »

« Tanagra » ? Ce genre de comparaison a disparu de nos vocabulaires. C'est une statuette, en terre cuite, de Tanagra — nom d'une antique cité grecque de Béotie —, d'une grâce et d'une finesse simples. On disait aussi « tanagréenne » pour définir la beauté évidente d'une femme. Et puis, Jean cite Rimbaud, cela aussi date d'un autre monde.

Ils vont s'écrire. À l'époque, l'amour, ça passe par la correspondance. Une lettre par jour, lorsqu'il est en déplacement ou même lorsqu'il est à Paris tandis qu'elle retourne à son gris ministère. Netka va lire ce style un peu livresque, ce français que l'on n'écrit plus guère, et elle va répondre avec passion : « M'aimez-vous ? Je crois que je vous aime, je le sais » — puis, à mesure que leurs rencontres intensifient leur besoin l'un de l'autre, le tutoiement s'installe dans la correspondance, c'est le signe qu'ils se sont donnés l'une à l'autre, et l'autre à elle. Elle lui dit : « J'ai bien senti que quelque chose d'irrémédiable et de définitif s'est passé en moi, le soir où je t'ai vu à Paris. Partons quelque part, veux-tu ? » Ils vont se retrouver au bord du lac d'Annecy. Les lacs, Netka les aura rencontrés aux moments décisifs de sa vie.

Si elle décide de rejoindre Jean au bord de l'eau, c'est que, déjà, ils se sont aimés. Où ? Quand ? Est-ce à Paris, chez lui ? Nous parlons d'un temps où l'on ne demandait guère aux parents : « Comment ça s'est passé ? », Jean et Netka n'ont rien raconté de plus que la rencontre au cours de cette soirée de bridge, chez les Soubeyre. Ce qui s'est passé entre eux, au bord du lac d'Annecy, leur a toujours appartenu.

Dans le paquet de leurs lettres, qu'elle avait conservées, j'ai pu identifier celle qui précède, et celle qui suit leur « première fois ». La lettre « d'avant » dit : « Écrivez-moi, je baise vos cheveux dépeignés », c'est signé Jean. La lettre « d'après » dit : « J'ai besoin de ton corps, comme toi du mien », c'est signé Netka.

14

— On ne peut pas comprendre si on ne l'a pas vécu. Ce sont des choses immédiates. Il était beau, votre père, mais ce n'était pas sa beauté ou sa prestance ni son élégance qui m'ont plu. C'était la différence avec tous les autres bridgeurs autour de la table, dont certains me rappelaient les ennuyeux que je croisais au ministère et pour lesquels je faisais de la paperasse. Leurs épouses, sages, dans un coin du salon, étaient, elles aussi, affreusement normales. Tous ces gens étaient sans intérêt et normaux, et lui ne l'était pas. Il incarnait la différence.

— C'est quoi, la différence ?
— Ça ne se définit pas. Celle de quelqu'un qui sort du troupeau, qui s'exprime avec courtoisie et finesse, sans comédie, sans volonté de vous conquérir ou alors s'il le fait, c'est si subtil qu'on ne le voit pas,

et puis par telle tournure de phrase, tel geste, telle insistance, telle volonté de plaire, il vous séduit, c'est un séducteur, certes, mais ça va plus loin que cela. Ce n'est pas un beau quadragénaire qui veut séduire une belle jeune femme, ça va plus loin, tout de suite, je le sens.

Mon père m'avait écrit :

« Votre mère — il ne disait pas ta mère, mais votre mère — contrastait tellement avec l'ensemble de cette réunion que c'en était troublant, presque choquant, voire scandaleux. Quand je me suis détaché du groupe de bridgeurs, je me suis rapproché d'elle ainsi que de la dame qui lui servait de chaperon. J'ai été frappé par la fraîcheur du visage, tout entier habité de curiosité, du plaisir de parler, d'en savoir plus, une voix claire, des yeux qui tournaient au vert pour revenir au bleu. J'ai poliment souhaité m'asseoir auprès d'elle et de la dame. Il s'agissait de Marraine. J'ai senti que je faisais face à une jeune femme d'un type inconnu pour moi. J'avais eu, j'ai eu de nombreuses liaisons, nombreuses, et qui se sont toutes plutôt mal terminées. En général, c'est moi qui y mettais fin. J'étais arrivé à un point où je ne me distrayais presque plus à faire le Bel-Ami, le conquérant, et j'étais certain que je finirais ma vie ainsi. Je l'envisageais courte, compte tenu des antécédents familiaux, mon propre père foudroyé par une crise cardiaque alors qu'il avait à peine quarante ans, c'est-à-dire précisément l'âge auquel j'ai rencontré votre mère. Et que je rencontre sa différence. »

Quelle différence ?

« La lumière, la luminosité, le regard qui semble aller plus loin, au-delà de vous et des autres, comme à la recherche de quelque chose qui avait disparu et qui lui manquait, et parallèlement un scintillement de malice et d'esprit, de grâce, qui faisait d'elle une exception et dégageait une sorte de magnétisme. T'es-tu seulement demandé une fois ce que signifie le mot "charme" ? On dit " être sous le charme". »

Je repense à cette photo où, parée pour le bal de Saint-Cyr avec Henri à son côté, lui-même déjà vêtu d'un uniforme qui ajoute au sérieux de sa physionomie, de sa détermination, de sa conscience d'avoir fait le choix des armes, Netka diffuse, en effet, une manière de luminosité — j'ai déjà utilisé cet adjectif, faute de mieux, car il est plus violent et vigoureux, plus manifeste. La lumière, on ne l'invente pas, elle vous est donnée, elle fait peut-être partie de ce que l'on appelle l'héritage génétique. Vient-elle de Marie-Hélise ? Vient-elle du comte polonais ?

Car il s'est agi de deux ADN étonnamment dissemblables. Aussi bien pour le couple franco-polonais que pour le couple Jean-Netka. Des vies totalement contrastées, deux passés totalement contraires. L'une, la fille unique d'une mère de modeste extraction, et qui a sans doute été assez pourvue de « charme » pour entamer avec un magnat polonais un amour qui n'était ni accidentel ni provisoire, l'autre, héritier d'une longue histoire de domination, possession, ayant reçu toutes les subtilités d'une éducation privilégiée. N'y eût-il eu que leur premier enfant, Henri, on aurait pu imaginer que la liaison s'arrêterait là et que le scandale de la « Suissesse » s'achèverait, mais nous avons affaire à une véritable histoire d'amour puisque, un an plus tard seulement, naissait Henriette (qu'on appellera vite Netka), dans une clinique de Dresde. Si le père n'a jamais reconnu les deux enfants, c'est parce que « ça ne se faisait pas » à l'époque. Il n'était pas question de divorcer chez les magnats de Biélorussie. Combien de vies parallèles, de « deuxièmes vies », dans ces années-là, en France, en Pologne, ou ailleurs. Henryk aura connu un destin bref, une vie d'amour et de mensonges. Elle se termine dans la violence la plus crue.

« Enterré vivant par les bolcheviks », avec sa sœur. Quelques mots seulement, que Netka prononce de temps en temps lorsque nous l'interrogeons. Par qui a-t-elle tout appris ? C'est en regroupant ses lettres que j'ai compris : Netka, pendant ses années d'étudiante puis fonctionnaire, avait repris un lien avec Manny. Elle était allée la revoir à Genève — c'est Manny qui lui a confirmé l'épisode des bolcheviks, déjà murmuré par Marraine, et lui a dit que ce père, qu'elle n'avait vu qu'une fois, lui avait légué les mêmes traits de visage et le même regard.

Quant à l'ADN de Jean, nous savons qu'il vient d'une famille dont le nom aurait pu avoir des racines espagnoles ou italiennes : grand-père manœuvre agricole, hommes et femmes du Quercy, gens de labeur et de persévérance. Jean gardera longtemps sa mère auprès de lui. Elle était encore là, à l'époque où il a connu Netka. Ça n'a pas été simple ni facile pour Netka : la belle jeune femme qui arrive dans ce duo, une mère âgée et possessive, un fils unique dont elle n'a aucune envie qu'il se marie. C'était, nous dit Netka, une « femme ferme et sévère ».

Il n'y a aucun mystère dans les origines de Jean. Mais il y a celui de Netka. On dit souvent, c'est un cliché, que dans toutes les familles, il y a un « secret ». Il y a de l'obscurité. Certains mystères sont plus sombres que celui de Netka, plus tragiques. Ce n'est d'ailleurs pas tout à fait un secret, mais quelque chose qui repose entièrement sur ses silences. C'est elle qui en a fait un secret, un mystère. Son mutisme à ce sujet, ce refus, ce déni, ces fausses pistes, et surtout cette attitude consistant à ne pas regarder en arrière, ne pas raconter, même si elle en sait beaucoup plus. Même si (défaillance de mémoire ou volonté de ne pas ouvrir les portes) ma mère a connaissance de tout ce qui s'était passé. Les enfants n'ont pas à savoir, pensait-elle, et quand ils seront grands, ils se seront éparpillés dans d'autres existences, ils auront vécu leur propre vie, tracé leurs propres courbes de malheur et de bonheur et son propre passé ne comptera pas. Elle sera Netka, devenue depuis Mamika pour les enfants des enfants, et les enfants des enfants des enfants — ils se rassembleront autour d'elle, son

90

humeur gaie, sa faculté de s'intéresser à tout ce qui les concerne, leur vie, qui n'aura pas ressemblé à la sienne. Elle n'a pas une fois exprimé un semblant de comparaison entre leur enfance et la sienne. Mamika ! Images d'elle accueillant tout le monde avec son sourire fin, recevant, et parfois hébergeant des amis de passage de ses fils, faisant du prof de lettres qui aura joué un rôle majeur pour mon avenir un membre du cercle familial, protégeant les amours naissantes d'un couple dont la fille était celle du meilleur ami de Jean, les aidant à dissimuler leurs rencontres et défendant ce couple que les « hommes » (Jean et son ami Jacques) considéraient d'un œil critique :

— Mais, enfin, Netka, Christiane est beaucoup trop jeune pour se marier. Et lui est encore plongé dans ses études et va devenir instituteur, de quoi te mêles-tu ?

— Jean, ils s'aiment, il n'y a aucune raison de ne pas les aider. Qu'est-ce que c'est que ces commentaires, ces résistances, ce mur d'incompréhension ?

— Je ne parle pas pour moi, je parle pour mon ami Jacques, pas pour moi.

— Vous pensez la même chose. Je te dis qu'ils s'aiment et je ferai tout pour qu'ils se voient, qu'ils continuent, qu'on en finisse avec ces préjugés, ces interdits.

— Va donc dire ça à Jacques.

— Je ne lui dirai rien. Je les aiderai à se retrouver pendant les vacances, à se rencontrer, à venir le plus souvent à la maison que nous avons louée, à Capbreton, elle viendra habiter chez nous, il ira camper dans sa tente sur la dune, non loin de la maison.

— Tu fais comme tu veux, mon petit, tu fais comme tu veux.

Stratagèmes, mensonges, courtes comédies auront lieu, et Netka y jouera un rôle prépondérant, manigançant, élaborant des horaires et puis des retours jusqu'à ce qu'Henri (il s'appelait Henri, lui aussi) demande la main de Christiane à l'irréductible et puissant Jacques, que nous appelions « l'homme sombre », ami intime de mon père. À vrai dire, mon père était aussi sombre que lui, sinon plus. Il ne pourra se plier qu'à une évidence, celle de cet amour que Netka a pressenti, a senti, a encouragé de toute la force de la jeune fille de Versailles, qui ne parlait que de cela dans ses poèmes, et ne cherchait que cela dans ses tentatives amoureuses au sein du lycée, et, plus tard, dans le foyer des étudiants. Il existe, dans notre famille, la légende de Mamika : sa certitude selon laquelle ceux qui s'aiment doivent aller au bout, et s'ils ne s'aiment pas ou ne s'aiment plus (« les pauvres ! »), alors que cela se passe bien, sans conflit, ni douleur, ni misère.

Mamika : les mauvaises nouvelles, les divorces, les séparations, elle les prenait avec un calme souriant, la certitude que cela finirait par s'arranger, et qu'il fallait toujours éradiquer jalousie, vengeance, ressentiment, médiocrité et vindicte. Que chacun, selon le célèbre mot du cinéaste Jean Renoir, « a toujours de bonnes raisons de faire ce qu'il fait ». Et que le « pauvre », la « pauvre », ou les « pauvres », ainsi que les avatars de leur vie, il est bon de les accepter sans esprit critique, de les voir et les recevoir sans prendre un seul parti, d'être toujours à la hauteur de sa propre exigence. Le credo de Mamika, le principe de Mamika : aimer est plus important que de se savoir aimée. Elle a obéi à ce principe pendant toute sa seconde existence, celle qui commence à la porte d'un salon de bridge, puis se déploie par une nuit d'amour près du lac d'Annecy. À l'instant où cet événement extraordinaire lui arrive, c'est la disparition du facteur mélancolique. Elle a fait un choix. Il sera définitif. Il est là, inscrit dans sa seconde nature. Les circonstances ont-elles forcé ce choix ? Non, c'est la vérité de son caractère : l'œil pétillant de la lycéenne insolente et l'œil lointain de la Slave, double regard, double facette.

Mamika ? Les autres. Rire. Nager, faire nager. Soleil. Lecture. L'arrivée toujours attendue des enfants, lesquels ? Ce qui compte, c'est qu'ils soient là. Le travail qu'elle effectue pour Jean. Elle tape à la machine ses contrats et ses comptes rendus. Elle tape les textes des trois romans que Jean publiera à compte d'auteur. Ironie de la vie : malgré le bonheur qu'il s'est créé, Jean conservera son fond de nature sceptique, pessimiste. Les titres de ses trois livres en disent assez long : *Dénuement, La voie sans issue,*

Le geste de Caïn. L'extraordinaire gaieté optimiste de Netka va équilibrer le non moins singulier penchant de Jean pour la face obscure des choses, sa neurasthénie. Malgré leurs affinités électives, ils se révèlent contraires. Il paraît que c'est ainsi que se forme ce qu'on appelle un « vrai couple ».

Une photo de couple : Netka, avec Jean. J'ignore l'endroit où ils se trouvent. Une sorte de plateau rocheux qui avance vers la mer, il y a des voiles, au loin. Ciel limpide. Photo en noir et blanc, mais elle évoque la lumière et la chaleur. Ils sont debout, tous les deux, on dirait qu'ils regardent le ciel et non pas l'œil du photographe. Jean est plus grand qu'elle, il entoure ses épaules de ses bras plutôt que de la tenir par la taille. Attitude de bonheur et d'amour, de protection aussi. La protection ! « Dans un univers d'embûches, où elle aurait pu être souillée. » C'est une image que nous garderons tous, ce couple qui n'a plus besoin de s'écrire des lettres romanesques et romantiques, grâce auxquelles et avec lesquelles tout avait commencé.

Dans sa correspondance avec son amant, Netka se confiait plus encore que dans ses propres poèmes. De son côté, Jean lui demande :

« Dites-moi, comme vous me l'avez promis, vos rêves, vos chagrins, vos vœux. Dites-moi la pensée de vos nuits. »

Lui a-t-elle confié son passé, la fuite de la mère, l'absence du père inconnu, ou s'est-il informé auprès de Marraine qui lui aurait livré l'essentiel, de Dresde à Versailles, en passant par l'épisode des bolcheviks ? Je l'ignore. Mais je me suis fait une idée de ce qui a pu attirer mon père, avec sa curiosité, son apparente hauteur de caractère derrière laquelle se cachaient générosité et solidarité. Nous pouvons concevoir qu'il en a su assez pour mieux comprendre « les rêves, les chagrins et les vœux » de la jeune femme dont il était tombé amoureux, et décider d'y apporter un terme définitif, posant ainsi un voile sur sa propre vision d'une existence de célibataire voué à finir seul. Tout se retourne, tout se renverse. Il ne nous en a jamais fait part, parce que sa femme était notre mère et qu'il ne concevait pas d'avoir à confier ses secrets, ni les pans oubliés de sa jeunesse. Et parce que nous ne concevions pas d'oser l'interroger.

Je relis la lettre où il l'invite à la rejoindre au bord du lac d'Annecy. Elle se termine ainsi : « Venez ! Il me semble que je vais prendre un plaisir sans mélange à vous voir rire, jouer à mes côtés pour quelques jours et parfois dans un moment chargé d'un peu de tristesse ou de tendresse, vos yeux d'enfant se poser jusqu'aux miens avec une interrogation muette et passionnée. Écrivez-moi. Je baise vos cheveux dépeignés. »

J'ai lu des dizaines de ses lettres (ordonnées dans un classeur tenu par Mamika : « Lettres de Jean à Netka ») et celle-ci illustre au mieux la douceur amoureuse, le désir évident, celui d'un homme qui se croyait revenu de tout, étranger à de tels sentiments, un tel vocabulaire, ignorant qu'une jeune femme (qu'il compara très vite à une « enfant ») fasse soudain basculer ce qu'il avait envisagé devoir être une fin de vie égoïste et sombre. Toutes ses lettres étaient rédigées dans le même style romanesque, exprimant ce à quoi il n'avait pas cru : la perspective d'une autre existence, dominée et conduite par l'amour, et par l'exigeante pulsion de protection, ce que, jusqu'ici, il n'avait jamais éprouvé. En ce sens, Netka l'a changé, l'a révélé à lui-même.

Netka, de son côté, lui citera une phrase de Maeterlinck, que j'ai souvent retrouvée dans ses carnets de notes : « Être heureux, c'est avoir dépassé l'inquiétude du bonheur. »

« L'inquiétude du bonheur », cela veut dire quoi, précisément ? Ça veut dire, vraisemblablement, avoir dépassé l'angoisse de ne pas être aimée, et avoir, désormais, « les cheveux dépeignés » par un homme qui est venu chambouler votre existence et s'interroger sur la durée de cet amour. Ils se marieront un an plus tard, ils feront quatre enfants en l'espace de six ans, quatre garçons.

15

« On savait bien », a-t-elle si souvent répété, en une litanie qu'elle chantonnait presque devant tous ceux avec qui elle conversait, « on savait bien qu'avec un tel écart dans nos âges, il partirait avant et que je resterais seule, et que même avec vous, je serais seule. On le savait bien, on se l'est même assez souvent dit, mais, que veux-tu, on s'aimait. »

Elle tient toujours son petit machin en cuir bouilli avec la photo de Jean et je n'en prendrai conscience que plus tard, après avoir confronté les deux portraits : Jean, avec ses vingt ans de plus, son autorité, son expérience, son sens aigu de la protection d'autrui, n'aura pas seulement été, pour Netka, un mari, un amant, le père de ses enfants, mais aussi le substitut de son propre père, le comte polonais disparu dans la violence des années 20 en terre biélorusse.

D'ailleurs si l'on compare les photos, il est clair que ces deux hommes se ressemblent. Il y a quelque chose de commun dans la prestance, la détermination, la maîtrise apparente de soi et des choses. Or, Netka n'a vu cet homme qu'une fois et ce n'est pas la raison première de son amour et de son désir pour Jean, mais au fil des années, et de notre enfance, puis adolescence, puis âge adulte, au fil de nos voyages, déplacements, changements de domicile, de villes et de vies, il est manifeste que Jean a incarné pour elle la figure et le rôle d'un père autant que celui d'un mari. Dans chacune des lettres qu'il lui écrit lorsqu'il voyage et s'absente, dans chacun des petits messages retrouvés, il n'appelle jamais ma mère autrement que « mon petit », « mon tout petit », « mon oiseau », « mon enfant » — oui ! « mon enfant » — et peut-être avait-elle besoin de ce langage, cette attitude, cette addition au couple qui s'est aimé et a marché ensemble pendant plus de cinquante ans.

Je le comprends mieux quand j'étudie aujourd'hui nos propres photos, nous quatre, les garçons. Nous sommes sur une plage, à Hossegor, elle s'est installée entre nous, au milieu de ce quatuor de gamins-adolescents. C'est une évidence, elle se veut aussi jeune que nous, elle fait presque partie de la fratrie, c'est une mère peut-être, mais c'est aussi une amie, et pourquoi pas, une sœur. Et quand Jean nous regarde jouer, c'est sans doute ce que lui-même comprend de ce double rôle. Sans doute, car son jugement est clair, et il s'en est satisfait. Puisque le mari est une sorte de père, les garçons sont, alors, effectivement, des sortes de frères. Elle est leur sœur aînée, et il s'en réjouit. Non seulement la « bâtarde polonaise » a reçu un amour né au hasard, un homme qui lui sert de père, mais en outre, elle s'est fabriqué des frères. Elle a construit ainsi, de cette manière, une nouvelle vie et a créé un ensemble qu'elle ne lâchera jamais. Aujourd'hui, on appelle ça une « bulle » ou un « cocon ». Netka préférait dire : « Vous ».

En vérité, Netka, à partir du moment où elle rencontre Jean, puis l'épouse, puis lui donne quatre garçons, va changer du tout au tout. C'est une transformation qu'elle n'avait pu envisager dans ses poèmes, puisqu'elle attendait non seulement l'amour mais rêvait, aussi, de « la gloire ». Elle ne pouvait imaginer qu'un seul homme troublerait tout et lui inventerait une nouvelle existence. Une chose inattendue, essentielle, un bouleversement. Désormais, elle ne va plus agir, bouger, décider, respirer que pour ses enfants, et, plus tard, ses petits-enfants. La lycéenne insolente qui remplissait ses carnets de poésies va cesser d'écrire.

16

La pensionnaire de la maison des étudiants va quitter un petit univers au sein duquel elle a heurté un cœur.

Car il y a eu une histoire, avant Jean. L'amour ne venait que du jeune homme de la maison des étudiants, et non pas d'elle. Il fallut briser dès le lendemain d'Annecy. J'ai retrouvé cet épisode grâce aux lettres entre Jean et Netka. L'histoire du jeune homme.

C'était un jeune homme d'allure gracile, aux cheveux bruns, aux yeux ronds, il était vêtu d'une sorte de vareuse, une blouse, celle qu'il portait pendant ses études aux Beaux-Arts. Il n'avait pas eu le temps de se changer. Peut-être, d'ailleurs, ne possédait-il rien d'autre que cet attirail.

Il l'attendait sur le quai de la gare du Bourget. Elle est descendue du train venant d'Annecy, toute encore chavirée par ce qu'elle avait vécu, et comment Jean avait « défait ses cheveux » avant qu'ils fassent l'amour. Elle avait mis une robe à fleurs. Elle portait une petite valise à la main. Elle avait dit à Jean :

— Je dois dire adieu à quelqu'un.

Il avait répondu :

— Pour moi, c'est déjà fait. Aucune des femmes que j'ai connues ne compte plus. Seras-tu capable de cruauté ? Il n'y a rien de plus blessant que de s'entendre dire : « C'est fini. »

Elle avait souri, sans répliquer.

Jean :

— Pourquoi le voir ? Écris-lui. C'est moins douloureux. Une lettre peut tout dire. Épargne-toi… je ne sais quelle scène.

— Non, non, je ne sais pas pourquoi, mais je le lui dois.

Ce qu'elle lui devait se résumait en peu de mots : cette relation qu'elle avait jugée à sens unique et, sans doute, provisoire, avait adouci sa solitude au cours de l'année à la maison des étudiants. Le jeune homme la vénérait. Il admirait son don poétique, car elle lui lisait, de temps à autre, quelques-uns des vers extraits de son carnet à couverture vert foncé — le jeune homme avait parfois du mal à comprendre qu'elle

102

puisse écrire des poèmes aussi sombres, aussi pleins de ce « spleen » qu'elle retrouvait chez les romantiques. Comment, lui disait-il, vous n'êtes donc pas heureuse avec moi ? Mais si, répondait-elle. « Notre amour », invoquait-il. Elle n'avait jamais prononcé ce mot. Pour elle, ce n'était pas un amour, c'était une liaison provisoire, mais elle avait la délicatesse de ne pas le formuler. Après qu'ils eurent passé leur première nuit ensemble, il avait continué de la vouvoyer. Elle lui disait tu. Il s'appelait Louis et avait un an de moins qu'elle.

Elle voulut s'asseoir à la buvette de la gare. Il faisait chaud. Il avait couru vers elle pour l'embrasser, elle avait réussi à l'éviter en lui tendant sa petite valise de couleur beige.

— Tiens, aide-moi. Allons boire quelque chose. Tu n'as pas soif ?

— Si, si. Mais qu'avez-vous, exactement ?

— Je vais te dire.

Le garçon de café était rond, en sueur, les joues rougies, l'air pressé. Ils avaient commandé du sirop de cerise avec de l'eau pour elle, du sirop de menthe avec de l'eau pour lui. La salle était presque pleine. Des enfants et jeunes adolescents en uniformes de louveteaux et de scouts étaient rassemblés autour de trois tables, sacs à dos et baluchons à leurs pieds.

Netka et Louis s'étaient installés à l'autre bout de la salle, les exclamations et les bruits des gamins les faisant élever la voix. Netka aurait souhaité parler doux et bas, aussi bien sa tête se penchait vers celle du jeune homme qui la regardait, interloqué.

— Je n'ai pas envie que tout le monde nous entende, dit-elle.

— Pourquoi ?

— Rapproche-toi plus de moi. J'ai quelque chose à te dire.

Leurs visages étaient si proches l'un de l'autre qu'on aurait pu croire qu'ils allaient s'embrasser.

— Voilà, Louis, c'est fini. J'ai rencontré quelqu'un, et je sais que c'est l'homme qui va changer ma vie. Alors, je te demande pardon, mais c'est fini. Je suis follement amoureuse.

Un pli d'amertume vint se dessiner autour des lèvres du jeune homme.

— Je le savais, je le savais, répétait-il.

— Pourquoi ?

— Vous ne m'avez pas demandé de venir ici pour rien, je l'ai compris à votre télégramme. Je savais que vous vouliez me dire quelque chose d'important.

Il avait tenté de prendre un ton un peu détaché, mûr, mais l'émotion allait l'emporter.

— Comment pouvez-vous, comment pouvez-vous ?

Des larmes perlaient dans ses yeux. Il tentait de les retenir.

— Pardonnez-moi, dit-il.

— C'est moi qui te demande pardon, mais c'est comme ça, ne pleure pas, Louis, je ne t'avais jamais rien promis.

Maintenant, il pleurait réellement. Elle prit sa main par-dessus la table recouverte d'un linoléum grisâtre.

— Je t'en prie, Louis, ne pleure pas.

— Je ne peux pas m'en empêcher.

— Il y a des gens autour de nous, ressaisis-toi. Tu n'es plus un enfant.

Il la regarda.

— Non, certainement plus, maintenant.

Peu à peu, ses pleurs s'atténuèrent. Il porta son doigt sous les paupières, l'une après l'autre, laissant une trace autour des cernes.

— Je ne vous demanderai pas un mouchoir, ça serait ridicule. Il faut avoir un peu de tenue, n'est-ce pas ? C'est ça que vous me demandez ?

L'amertume était revenue. Cela lui permettait de contenir son chagrin, il aurait même fallu qu'il aille chercher de l'ironie, c'eût été sa meilleure défense, mais il s'en sentait incapable. Alors, le haut de son visage humecté de larmes, il se leva.

— Excusez-moi, je reviens.

Elle le regarda traverser la salle, trébuchant maladroitement sur les sacs des scouts. Le bruit de la petite troupe n'avait cessé d'augmenter. Certains louveteaux, les plus petits avec leur béret bien à plat sur leurs têtes, s'étaient mis à chanter :

105

Un jambon de Mayence,
V'là qu'ça commence
Déjà bien.

Un des trois chefs, un grand échalas à chapeau pointu, long short et chaussettes hautes à ras des genoux, les fit taire sur un ton solennel :

— On se calme. On respecte un lieu public, les enfants.

Netka attendait, vaguement inquiète. Au bout de quelques minutes, le jeune homme revint. Il avait trempé sa tête sous l'eau du lavabo des toilettes, ce qui donnait à sa coiffure, cheveux plaqués en arrière, la physionomie d'un nageur au sortir d'une piscine. Il était tout propre, tout lavé, tout lisse, tout triste. Tout banal.

— Je ne vous oublierai jamais, dit-il.

— Mais si, fit Netka.

Elle ne pensait qu'à Jean, mais elle ressentait comme une pointe de culpabilité vrillée en elle, il lui vint aux lèvres le mot « merci ».

— Pourquoi ? dit-il.

— Parce que tu m'as aidée. Merci et pardon. Maintenant, je dois m'en aller. Adieu, Louis.

Ils s'embrassèrent sur les joues.

Elle se leva. Le train retour vers Annecy n'allait plus tarder. Il lui promit qu'il ne la suivrait pas. Il resta sur sa chaise et commanda au garçon, rond et affairé, le visage de plus en plus rougi par la chaleur, un deuxième sirop de menthe à l'eau.

Dehors, sur le quai, Netka entendait, à travers les fenêtres ouvertes de la buvette, les louveteaux qui avaient repris leur chant de marche :

Nous allons faire bombance,
À ce festin, il ne manquera rien,
Car j'aperçois,
Un jambon de Mayence,
V'là qu'ça commence
Déjà bien.

Netka pensa que c'était la première fois de sa vie qu'elle avait fait pleurer quelqu'un, souffrir quelqu'un. Elle se jura que ce serait la dernière.

17

Plus rien ne va compter d'autre que sa nouvelle vie, qui ne ressemble plus à ses rêves de jeunesse, de lycéenne très douée, mais elle n'en éprouve aucun regret.

Marraine se plaignait que l'on ne comprenne pas à quel point ma mère était brillante et intelligente et qu'elle n'aurait peut-être pas dû se limiter à un simple rôle de mère. Mais je n'entendrai jamais Netka se plaindre, confier à qui que ce soit ce qu'elle aurait aimé être ou faire, quel autre destin elle aurait pu connaître au moyen de sa petite carte de presse bleue, quelle envie de gloire littéraire elle aurait désiré satisfaire, quel besoin de reconnaissance. Seules vont s'imposer des certitudes : un foyer, un homme, des enfants, tout ce qui lui a manqué au cours de ses multiples abandons. Elle n'est plus la même. La coque de cheveux sur le front a disparu depuis longtemps. Netka a de beaux cheveux qu'elle lâche en oubliant son ancienne allure, son autre moi.

Les vents de la guerre soufflent sur l'Europe et le monde. Henri est en Afrique du Nord, en Tunisie, en Syrie, en Libye, il se déplace, il monte en grade, il participe à des combats. Il accumule les citations. Quand il rentre en permission, c'est elle qu'il va voir en toute première instance, revêtu de son uniforme. Je n'ai aucun souvenir de ces rencontres. Seul, parfois, un frère aîné me rappelle les regards de fierté de Netka lorsqu'il apparaissait et qu'il lui racontait ses missions, qui le mèneraient jusqu'à devenir commandant dans l'infanterie de marine et du Pacifique. Elle l'adulait, l'admirait. Dans toutes les demeures où nous avons vécu, j'ai toujours vu, accrochée au mur de la chambre des parents, la photo d'Henri dans son uniforme de jeune saint-cyrien alors qu'il venait juste d'être admis. Il y a des traits, le nez, le front large, les yeux profondément sérieux, l'ovale parfait, comparables à ceux de Netka. Il manque cette amorce de sourire qui peut à tout instant se détendre, il y manque l'espièglerie, la malice et la capacité de s'identifier aux petites filles et petits garçons qui auront, séparément ou en groupe, trouvé chez elle amour donné, complicité, invention, attention aux autres.

L'amour qu'elle a prodigué toute sa vie n'est que le combat et l'oubli du manque d'amour paternel ou maternel. J'ignore si c'est une vérité universelle, mais c'est celle de Netka : moins tu as été aimée, plus tu as été abandonnée, plus tu aimeras, plus tu accueilleras.

A-t-elle vraiment effacé ces multiples abandons et sa vingtième année de cafard avant la miraculeuse rencontre avec Jean ? Son refus de livrer les noms réels, les précisions, ses silences devant telle ou telle question, pourquoi avoir si longtemps dissimulé puis déformé le nom du père, le comte, et n'avoir jamais dit un seul mot concernant sa mère ? Je reviens à la séance d'humiliation au lycée : il me semble que Netka a dû éprouver la même honte à raconter à quatre adultes, qui ont été ses « petits garçons », ce destin d'enfant-valise, et dans cette honte intervient aussi un fort et violent mouvement d'orgueil qui aurait pu s'exprimer ainsi :

— J'ai subi des épreuves. J'ai l'air tendre, mais je suis dure. Je suis forte. Il n'est nul besoin de raconter ces épreuves, de revenir dessus, se complaire ou s'apitoyer. Il faut vivre, car la vie est belle.

Les choses paraissent simples : Netka possède ou a gagné ce que l'on connaît aujourd'hui sous le nom de résilience — ce qui caractérise la résistance aux chocs. Et ce « goût de cendres dans la bouche » (extrait d'un de ses poèmes de jeunesse) ne va jamais réapparaître. La « petite âme en danger » qui avait tant attendri Jean peut faire face à tous les dangers.

18

Arrive le choc de 1940, l'invasion allemande dans une France en proie à « l'étrange défaite ». Jean, prophétique, l'avait pressenti, anticipé.

Il avait décidé, dès le milieu des années 30, dès le premier garçon, l'aîné, Jean-Pierre, que Netka ne pourrait bien élever ses enfants dans une ville comme Paris, si Paris devait être occupé, et Jean prévoyait que ce serait le cas. Quelques années auparavant, il avait acquis un terrain sur les hauteurs de Montauban, où vivait son grand ami Jacques. Il y avait fait construire une maison qu'il appela « La Villa l'Horizon ». Lorsqu'ils vivaient près de la place des Ternes à Paris, il avait exposé ses plans à Netka, qui lui avait répondu :
— Tu as toujours eu raison dans tes choix.
Netka, à vrai dire, n'était attachée à aucune ville

particulière. On quitte Paris pour Montauban ? Va pour Montauban, puisque Jean l'a décidé. Ce ne sont pas les lieux qui comptent, c'est l'amour qu'on y transporte.

19

Tout a commencé par un concours de circonstances.

On est en 1940-41, et nous sommes définitivement installés dans « La Villa » sur les hauteurs de Montauban, dans les arbres, la verdure, les chemins buissonneux qu'on ne peut emprunter qu'à bicyclette. Jean a repris une petite activité de conseil juridique, mais, pour l'instant, les consultations sont rares. Une relation parisienne, un ancien client juif de mon père, lui écrit pour demander s'il peut l'héberger pour quelques jours, alors qu'il fuit Paris, il fuit les nazis avant de franchir la frontière espagnole. Bien entendu, venez ! Ce geste va être le premier d'un engrenage de solidarité, car plusieurs autres juifs menacés, dénoncés, contraints de partir, sont prévenus par le premier d'entre eux, le premier qui appela

mon père, ce qui va amorcer un bouche-à-oreille dis-
cret entre amis et anciens clients du cabinet de Jean
à Paris. Ils vont, à leur tour, s'arrêter chez nous pour
quelques jours avant d'aller plus au sud vers la frontière des Pyrénées, et puis l'Espagne, et ensuite, le
Maroc, ou l'Angleterre, ou le Brésil, ou l'Amérique.
Peu à peu, on va savoir que ce couple propose une
sorte de relais sûr, un véritable abri pour celles et
ceux qui fuient et parviennent à franchir la ligne
de démarcation pour rejoindre Montauban, qui se
trouve en zone libre. Ainsi va se créer une filière qui
va bientôt se relier à d'autres, et qui va durer jusqu'à
la fin de l'Occupation et à la victoire finale.

Certains juifs restent chez nous, et mon père, après
quelques jours, les déplace vers les deux fermes qu'il
a acquises, exploitées par des métayers qui ont toute
sa confiance. Netka s'associe à cet accueil. Elle n'a
pas une fois mis en question le choix de Jean et
les risques que cela comporte. Quand elle voit ces
hommes, femmes, enfants angoissés, elle se sent
proche d'eux, elle va seconder Jean dans toutes les
obligations inattendues que provoque le passage de
ces fuyards juifs. Il lui arrive de regretter leur départ,
car quelques jours avec eux lui ont suffi pour créer
des liens d'affection, de complicité. Elle s'adonne à
cette mission avec un sentiment d'identification : ce
sont tous des abandonnés.

D'autres demeurent dans la Villa. La plupart
du temps, ils dorment dans la cave de la maison,

qu'on appelait aussi la buanderie. Quelques-uns se consacrent à des travaux : jardinage, entretien des espaces, culture des légumes et arbres fruitiers au bord du jardin, sur la pente, de l'autre côté de la Villa, qui mène à la petite rivière du Tescou. Lorsque, tout récemment, une actualité de violence à propos d'un barrage sur le Tescou a occupé pour un temps les médias (un jeune homme y est mort), le surgissement de ce nom, le Tescou, dans les bulletins et reportages m'a fait repenser à cette envoûtante rivière que je regardais des heures durant, en bas de chez nous, dans les années 40. Elle constituait la frontière qui séparait notre maison et son jardin d'une grande vallée plate, et d'une plaine qui, ensuite, remontait vers les coteaux où se trouvait l'une des deux fermes de mon père. En fait, je n'avais pas oublié le Tescou, il est inscrit dans ma mémoire, comme le stade de Sapiac, la piscine municipale des Mouettes, sur les bords du Tarn dominé par le Pont Vieux, la place de la République, le grand café où se réunissaient les beaux parleurs. Images et lieux qui forment la couche primaire de ma mémoire et d'une enfance que j'associe profondément au souvenir de Netka.

Dans ces résurgences de mémoire, voici que je revois soudainement un train, celui qui m'emmena à Font-Romeu — je n'arrive pas à me souvenir si ce fut pendant l'Occupation ou après.

J'avais été atteint d'une forte maladie pulmonaire, il fallait qu'on m'envoie respirer l'air pur des Pyrénées, pendant quelques mois, ordre du médecin qui y voyait des traces de tuberculose. Un sanatorium fut choisi, à Font-Romeu. Ma mère m'accompagna jusque là-bas. Je ne revois presque plus les visages et les moments de cet éloignement, et j'ai oublié jusqu'au nom d'un des pensionnaires, un peu plus âgé que moi, dont j'étais devenu le souffre-douleur. Je ne me souviens que d'avoir écrit lettre sur lettre à ma famille pour me plaindre, geindre, gémir, m'apitoyer sur moi-même et sur la communauté de tous ces garçons poitrinaires qui se confondent aujourd'hui avec l'image des sapins, la neige, le ciel métallique bleu, la nourriture infecte, la sensation de séparation et de solitude.

J'ai aussi le souvenir précis du voyage lui-même, en train, avec ma mère. Il y avait peu de gens à bord et un seul passager dans la même voiture que nous. Je m'étais assis près de la fenêtre (il était inscrit *è pericoloso sporgersi* — « défense de se pencher ») sur la banquette face à ma mère, même disposition que moi. Elle était vêtue d'un tailleur gris-beige, son doux visage, son regard tendre, ses sourires de réconfort, ses petites phrases affectueuses ne suffisaient pas à atténuer ma crainte de ce départ vers l'inconnu. Aussi bien, chaque fois que le train pénétrait dans un tunnel, le noir se faisait dans la voiture

— les lumières avaient-elles été supprimées pour cause d'économies d'après-guerre ? — et je me jetais alors dans les bras de ma mère pour l'embrasser, pour qu'elle m'embrasse, qu'elle me serre contre sa poitrine, qu'elle me susurre des mots rassurants, des mots d'amour. À peine le train était-il sorti du tunnel, je me redressais pour me réinstaller sur la banquette afin de ne pas me soumettre au regard du passager. J'ignore combien de tunnels nous avons ainsi vécus — combien de fois l'ai-je entendue me dire : « Ne t'en fais pas. Tout ira bien. »

Et c'est à ce moment-là que ma rechute a commencé.

20

Je n'arrivais plus à écrire, je le savais, je sentais que ce livre était le plus difficile de tous ceux que j'avais écrits et en relisant ce qui était déjà rédigé, je ne voyais que des platitudes, des répétitions, des allers et retours inutiles, des clichés d'une banalité affligeante, et je m'en voulais de n'être pas à la hauteur du projet et de la fameuse phrase : « Un jour, tu écriras la vie de Mamika. »

Je sais bien que ce ne fut pas la seule raison de ma rechute. Comme me le dirait, très bientôt, car j'allais me ruer chez lui, le psychiatre qui s'était occupé de moi près de quinze ans auparavant :

— Il ne faut pas être rationnel quand on parle de la dépression. Vous faites ce qu'on appelle une rechute de mélancolie, j'étais à peu près sûr que vous la feriez un jour.

— Pourquoi ?

— Parce que c'est comme ça, les gens qui ont connu et vécu une dépression aussi violente que celle qui fut la vôtre et à propos de laquelle vous avez écrit ce livre qu'il m'arrive de conseiller à mes patients, ces gens-là, un jour ou l'autre, sont susceptibles de rechuter. Et il n'y a pas d'explication rationnelle. Arrêtez de rationaliser ! Arrêtez de tout ramener à votre manuscrit inachevé et, peut-être, inachevable. Interrogez-vous sur tout ce qui ne va pas. L'ensemble. Et votre héritage génétique.

Il avait, bien entendu, raison. « Ce qui ne va pas ? » S'il n'y avait eu que le manuscrit, mais avaient surgi des irritations d'ordre professionnel, une sensation de blessures narcissiques, de perte d'influence, le ressenti violent d'une activité devenue trop routinière. Une lassitude générale. Cette multiplication négative avait fait revenir le Doute, auquel je donne volontairement une majuscule. La dépréciation de soi. L'appauvrissement des idées, la rapide fuite de l'énergie, le repli sur soi, la perte de tout désir. Avoir évoqué Netka avait-il provoqué quelque chose ?

Le psychiatre avait dit « héritage génétique ». Un article récent paru dans *Nature Genetics* parle d'une vaste étude qui confirmerait l'influence des gènes sur le risque de dépression. Cent vingt et un mille personnes interrogées. Dix-sept nouvelles variations génétiques potentiellement à risque, réparties dans quinze régions du génome.

Bon, d'accord. Devais-je comprendre que la neurasthénie du père et la mélancolie slave de la mère avaient joué un rôle dans mon état ? Je m'étais vanté dans mon récit sur ma première dépression[*] que ça ne m'arriverait plus, mais que, si les symptômes devaient réapparaître, je n'attendrais pas pour consulter. Je l'ai fait. Ç'a tout de même pris près d'un an pour que je me relève.

J'ai retrouvé mes forces, mes envies, le sens de ma vie. J'ai retrouvé, aussi, le manuscrit. Je l'ai relu, que valait-il ? Je l'ignorais, mais cela n'avait plus d'importance. J'ai pensé que je ne pouvais le laisser en rade, je me le devais, c'était une question d'orgueil, certes, mais c'était aussi parce que je refusais d'abandonner ma quête de Netka. Elle méritait mieux que cela. Lorsqu'elle écrivait à mon père, au tout début de leur amour, elle lui confiait : « Il me semble que je suis venue au monde par la suite d'un véritable roman. »

À moi, il me semblait désormais évident que son propre roman n'avait pas encore pris fin.

---

[*] *Tomber sept fois, se relever huit*, 2003, Éditions Albin Michel. (Folio n° 4264.)

21

Dora n'a pas quitté la Villa. Après un séjour plus long que d'autres, un couple et leur enfant qui étaient venus, en même temps qu'elle, se réfugier chez mes parents sont repartis vers le franchissement périlleux des Pyrénées, grâce à des passeurs basques. Mais Dora n'a pas voulu les suivre.

Elle a dit à Netka : « Gardez-moi, s'il vous plaît, gardez-moi. »

Elle ne supportait plus de fuir, depuis l'Autriche, seule, sans famille. De façon très rapide, ma mère s'était prise d'affection pour cette jeune femme — Dora avait à peu près le même âge qu'elle, un visage ovale pur, des yeux en amande qui reflétaient l'angoisse, la solitude, la constante interrogation de ceux qui se savent traqués. Dora pouvait masquer cette fragilité et sa peur en donnant le change par des démonstrations de gentillesse et de disponibilité. Netka voyait en elle une sorte de réplique de son propre passé : nomadisme, absence de point fixe, besoin d'appartenir, recherche d'équilibre. Dès son arrivée, Dora, sans qu'il le lui soit demandé, avait trouvé son rôle dans la cuisine, et s'était improvisée aide, assistante de Netka et des quatre garçons. Il y a des êtres qui suscitent immédiatement tendresse et complicité. « Dora, Dora ! », nous l'avions adoptée tout de suite et nous aimions ainsi l'appeler lorsque notre mère était absorbée par d'autres tâches. Elle prit vite l'habitude de panser les écorchures aux genoux, lorsque nous avions trop couru et trébuché sur le gravier, préparer les goûters pour le retour du lycée, ranger, avec Netka, le « capharnaüm » des deux chambres partagées par les frères. Dora et Netka, Netka et Dora, elles étaient devenues presque inséparables en peu de temps.

Elles se tutoyaient. Lorsque Dora dit : « Gardez-moi », elle s'adresse évidemment au couple, mais surtout au chef de famille, Jean. Netka entre dans son bureau :

— Jean, Dora nous demande de la garder avec nous. Elle n'a pas envie d'aller plus loin.

— Qu'en penses-tu ? demande-t-il.

— On ne peut pas la laisser partir. Les enfants l'aiment. Elle est bien, ici. Elle sait m'aider. Elle est déjà de la famille.

Depuis qu'ils ont pris la décision — et le risque —

d'héberger, de dissimuler, puis de « dispatcher » des fuyards juifs, Jean et Netka ont aussi pris le pli de se concerter, chaque soir. Ils font le point, une expression inutilisée à l'époque. Disons qu'ils dressent le tableau des mouvements : qui est à la ferme des Pench, qui à l'autre ferme, la Morère, chez les Bianco, qui s'en va, qui reste, les enfants sont-ils toujours capables de se taire, ne font-ils pas trop de bêtises. Il est vrai qu'à part l'aîné, ils n'ont pas trop bien compris tout ce qui se passe dans la Villa. Jean, tout au long de ces événements, va, dès lors, mesurer une facette de la personnalité de Netka. Le « petit oiseau », l'« enfant », à qui il adressait ses lettres et qu'il voulait protéger, n'est pas si oisillon que cela, et c'est à deux qu'ils traversèrent ces années à propos desquelles, encore aujourd'hui, je me demande s'ils étaient vraiment conscients du danger mortel qu'ils couraient, eux deux d'abord, leurs enfants ensuite. C'étaient des adultes, voyons ! Ils savaient. Netka savait. Elle avait une capacité de faire face, un don pour l'adaptation à une situation nouvelle, et un sacré bon sens, le tout recouvert par sa dévotion à l'acte d'aimer. Jean a vite compris qu'il y avait de l'acier dans le « petit oiseau ». Aussi bien lui dit-il :

— Très bien, mais prudence. Autant les séjours brefs et nocturnes ne sont pas trop dangereux — autant quelqu'un qui reste indéfiniment chez nous, cela peut susciter des questions. Elle ne devra jamais sortir d'ici, jamais trop se montrer. J'ai confiance dans les voisins, ils devinent ce que nous faisons, j'ai parlé avec eux, ça va — mais, tout de même, prudence. Et puis, il faudra bien tout expliquer, bientôt, aux garçons.

C'est un après-midi et nous goûtons, assis à la table de la cuisine, tartines et verres de tapioca. Dora est parmi nous, elle essuie des assiettes. Netka nous tourne le dos pour regarder par la fenêtre qui donne sur le chemin de gravier au bout duquel se trouve le portail d'entrée de notre Villa.

Je me souviendrai toujours de cet instant. Car c'est un instant, c'est-à-dire qu'il n'est pas mesurable en secondes, il n'est pas loin de la vitesse de la lumière.

Netka se retourne brusquement, son corps pivote, elle crie à Dora :

— Va-t'en ! Va-t'en !

Dora, stupéfaite, prise de panique. Elle tremble. Le chiffon tombe de ses mains.

— Pars, lui dit Netka. Le jardin, le Tescou, la ferme ! Vite !

On voit la frayeur sur le visage de Dora. Elle a la bouche ouverte, mais semble incapable de parler. Netka la pousse vers l'arrière-porte avec énergie :

— Va-t'en ! Va-t'en !

Dora s'enfuit. Maman (tout d'un coup, lorsque je

raconte ces instants, il m'est impossible de l'appeler Netka, je ne sais pas pourquoi, c'est la « maman » de l'enfance qui revient dans cette voix intérieure qui vous dicte les mots avant même que votre instinct les saisisse, c'est « maman » que je vois), maman, donc, a, au contraire de Dora, un visage parfaitement calme, composé. Elle a vu, loin, juste après qu'ils ont ouvert la grille d'entrée, au bout du chemin de gravier qui mène jusqu'à la maison, deux silhouettes d'hommes en noir et c'est un instinct fulgurant, une intuition supérieure, qui lui a dicté l'instant et le cri :

— Va-t'en !

Maintenant, elle les voit mieux, ces deux hommes qui marchent avec une étrange lenteur vers la maison et elle sait qu'elle a eu raison de faire fuir Dora. Elle prend deux des frères par les mains, Jacques et moi. Jean-Pierre n'est pas encore rentré du lycée, Claude est trop petit. Notre père, Jean, est parti tôt pour une série de rendez-vous extérieurs.

— Venez avec moi, les enfants.

Tout cela a duré à peine une minute. Nous sortons par la porte principale, ma mère pressant le pas, nous obligeant à courir pour demeurer à sa hauteur, et à celle de ses deux mains. Elle tient Jacques par la droite, et moi par la gauche. Elle a identifié suffisamment les deux hommes pour bien comprendre que son instinct était juste. Ils sont en cuir noir, chapeaux de la même couleur. L'un est menu, pâlot, assez jeune, il flotte dans son manteau et se tient légèrement en arrière de l'autre, lequel n'est pas plus grand, mais plus âgé et plus épais, plus gras, plus grasalard comme on disait là-bas pour désigner les types qui avaient trop bouffé de dinde et de cassoulet — puisqu'ils n'étaient pas soumis aux restrictions, pas tous, bien sûr, mais enfin, souvent, les grasalards, c'étaient des collabos.

Ils ressemblaient aux clichés qui fleuriraient beaucoup plus tard, lorsque la France commencerait à les mettre à l'écran — cinéma ou télévision. Les collabos, les miliciens en civil, les gestapistes en costume portaient bien, à l'écran, ces mêmes vêtements sinistres qu'une mère et ses deux enfants regardent, à mesure qu'ils s'avancent les uns vers les autres sur le gravier. Mais il y avait toujours une différence : le cinéma a beau avoir du talent, il n'a pas celui de reproduire les odeurs, les salissures au coin des coudes, l'impression de moiteur qui ressort de ces deux bonshommes. Le réel.

Maman leur fait face. Avec ses deux enfants, elle forme comme une barrière humaine, fragile. Si fragile : deux gamins et une mère. Mais les types ne semblent pas vouloir forcer ce timide obstacle.

Le grasalard se présente :

— Police civique, au service du bien public, Julien-Charles Floqueboque, je suis venu ici, Madame, car on nous a appris que vous hébergiez une étrangère et nous souhaitons la confronter. Une certaine Dora Kremer.

127

Maman prend son temps pour répondre. C'est son seul atout, gagner du temps.

— Monsieur, mon mari est absent. Nous n'hébergeons personne ici. Pouvez-vous me montrer votre identité ? et les papiers qui vous permettent de pénétrer dans une propriété privée ?

Elle a adopté un ton grave, posé, articulant tranquillement chacun de ses mots qui provoquent chez le collabo comme une fureur, un étouffement, un bégaiement.

— Mais, Madame, mais, mais, enfin, Ma-aa-dame, de quel droit ?

Ma mère pense à Dora. A-t-elle gagné assez de temps pour que Dora soit suffisamment éloignée ? Elle l'imagine dévalant la pente, foulant peut-être les plants de fraises du jardin potager, courant vers le petit pont de bois qui surplombe le Tescou, dans cet endroit plein de roseaux où j'ai toujours aimé venir pour me pencher vers l'eau et contempler les têtards. Dora a-t-elle déjà franchi le petit pont ? Si oui, ça va, il ne lui reste qu'à traverser la plaine, puis elle atteindra la vallée et commencera sa montée vers la ferme des Pench, à travers les vignes et les champs. Jean et Netka lui avaient fait reconnaître le parcours, « au cas où ». Maman calcule : ai-je gagné suffisamment de temps ? Elle reprend ce ton sévère que je ne lui connaissais pas, cette sonorité autoritaire, froide :

— « De quel droit », Monsieur ? Je ne sais même pas si vous dites vrai, vous ne m'avez montré aucun papier. J'ignore à quelle police vous appartenez, s'il s'agit même d'une police.

Ce qui est surprenant, c'est le retournement de la scène — comme si par la simple grâce de l'attitude rigide, sûre d'elle-même, de ma mère, comme si c'était le collabo qui devait rendre des comptes. Il est vrai qu'il est à peine crédible, avec son nez rougeâtre, ses bajoues qui pendouillent sur l'amidon de son col de chemise, aux rebords vaguement jaunis, ses grosses lunettes à monture métallique, derrière quoi deux yeux aqueux tournent en rond. Cette inversion des rôles, je peux la discerner et la décrire aujourd'hui, adulte. À l'âge de six ans et dans l'instant, en cette après-midi chaude, j'étais gagné par la crainte, et seule la présence de la main gauche de ma mère pouvait me rassurer. Cette caricature d'homme avait quelque chose de vaguement diabolique, et mon cœur battait fort, à peu près au rythme des constantes pressions de la main de maman dans la mienne. Le type a sorti une petite carte barrée de tricolore avec, par-dessus la barre, la francisque de Pétain, mais ni son nom, encore moins sa photo n'apparaissaient sur ce curieux document. Il l'a tendu à ma mère qui a pris un temps très long pour le déchiffrer.

— Je ne vois votre nom nulle part, Monsieur, je suis désolée.

— Eh bien, c'est normal, c'est une carte généralisée.

— Qu'est-ce que cela veut dire, une carte généralisée ?

— Laissez-moi vérifier chez vous, Madame, ça suffit.

— Non, Monsieur, je vous en prie, non, il faudra que vous reveniez. Mon mari se chargera de vous recevoir.

Elle se dit que Dora est saine et sauve, elle a certainement quitté la vallée du Tescou. Elle se demande seulement d'où est venue la dénonciation et comment on a connu le nom de famille de Dora. Il faudra qu'elle en parle à Jean, ce soir, quand ils auront leur dialogue récapitulatif de la journée.

— Au revoir, Madame, nous nous reverrons.

Netka pense que Dora est sauvée. Elle sourit poliment.

— Au revoir, Messieurs, je ne vous raccompagne pas.

Ils tournent le dos, dépités, deux comparses dont mon père apprendra qu'ils ne pesaient d'aucun poids dans leur « défense du bien public » — des marginaux. Jean s'en expliquera avec la mairie où il a eu l'habitude d'établir des liens avec des fonctionnaires loyaux, favorables à la Résistance et qui connaissaient l'activité clandestine de mes parents. Auparavant, le soir venu, il avait conduit une Peugeot jusqu'à la ferme, là-haut, et y avait recueilli Dora, traumatisée, parcourue de frissons, malgré les couvertures de laine et les verres de vin chaud fournis par les Pench. Il lui faudra quelques semaines pour se remettre de sa frayeur et de sa fuite. Elle restera avec nous jusqu'à la Libération.

La zone libre ayant été supprimée, les nazis occupèrent tout le pays. À Montauban, le commandant de la place décida de réquisitionner le premier étage de la Villa pour y dormir « au son des oiseaux », confiat-il à mon père qui ne put, bien sûr, refuser. L'officier nazi à l'étage, nous, tous au rez-de-chaussée, avec Dora, et, en bas, dans la buanderie, les juifs, que mes parents continuèrent de recevoir, en nombre moindre, cependant. Pour plus de sûreté, mes parents conseillèrent à Dora de se faire passer pour muette. Cette incroyable situation dura quelques mois — en juin 1944, la Villa fut à nouveau libre.

Avant de quitter la famille, Dora insista pour faire taper à la machine, par ma mère, une déclaration témoignant de ce que mes parents avaient fait pour la garder, puis la sauver. Netka et elle s'écrivirent. Ainsi apprendrons-nous qu'elle s'était mariée et qu'elle refaisait sa vie à New York, avec son époux, et qu'ils avaient deux enfants. Lorsque, quelque dix ans plus tard, je suis arrivé aux États-Unis pour une bourse d'étude, je n'avais qu'une adresse en poche, précieusement transmise par Netka : le couple Wasserlauf, Dora et son mari. Ils habitaient Forest Hills. J'y fus accueilli comme un fils.

22

Le document signé Dora fut le premier de nombreux témoignages qui autorisèrent Yad Vashem à honorer comme Justes parmi les Nations Jean-François Labro et Henriette, née Carisey, de longues, longues décennies plus tard.

Un jour, à Nice, alors que mon père avait déjà disparu, une courte cérémonie eut lieu chez Netka, car elle n'était plus capable de se déplacer en ville, encore moins dans un lieu officiel, ce qui lui avait été proposé. Les représentants régionaux de Yad Vashem vinrent donc jusqu'à son domicile, face à la mer, pour lui rendre hommage et lui remettre un diplôme. Ses quatre fils, les adultes, et leurs propres enfants, étaient présents. Nous avions voulu que chacun de nos enfants nous accompagne afin qu'ils comprennent mieux qui étaient leurs grands-parents, et ce que signifiaient ces mots dont certains étaient encore inconnus pour les plus jeunes : camps de concentration, Shoah, résistance, libération, solidarité, engagement. Nous entendîmes quelques brefs discours et furent prononcés les noms de celles et ceux que mes parents avaient cachés, et je me sentis poussé à dire, aussi, quelques mots pour rendre hommage à Jean, à Netka. Puis, je me tournai vers elle. Elle était assise dans sa petite chaise, les yeux toujours vifs, le visage ridulé et strié par le passage du temps, son sourire éternel aux coins de ses lèvres desséchées.

— Maman, tu vas bien nous dire quelque chose ?

Soudain, j'ai cru la voir, dans son plus bel âge, vigoureuse et déterminée, figure de sang-froid, très droite dans sa robe bleue et son tablier de maison qu'elle n'avait pas eu le temps de défaire, face aux deux connards qui, si clownesques qu'ils aient été, représentaient la mort. J'ai regardé en direction de Jacques, mon frère, et je me suis demandé si la même image était en train de traverser son esprit. Netka a murmuré quelques remerciements à l'intention des représentants de Yad Vashem. Elle s'est tue un instant, puis elle a éclairci sa gorge et élevé un peu la voix :

— Oh, vous savez, ce n'était pas très difficile de faire ce qu'on a fait. C'était normal : on les aimait.

23

La Seconde Guerre mondiale s'achève. De partout, rentrent les prisonniers libérés, les soldats qu'on démobilise. Il y a des bals aux carrefours de Montauban, on y joue : *Ah ! le petit vin blanc.* Les enfants ont grandi. Sur la place des Martyrs, les branches des acacias portent encore la marque des cordes des quatre résistants pendus par les nazis juste avant leur départ. De l'autre côté du Tarn, on fusille des collabos dans un pré à vaches.

Netka aura passé les toutes premières années 40 à s'interroger sur le sort de son frère, Henri. Il y a quelque temps qu'elle n'a plus de nouvelles du commandant Magny, dont elle sait seulement (les dernières informations datent d'avril 1944) qu'il est devenu « commandant du bataillon d'infanterie de marine et du Pacifique, 1re division FFL ». Elle n'a jamais cessé de penser à lui. L'avait-elle en esprit lorsqu'elle faisait face aux deux imbéciles venus arrêter Dora, et avait-elle pensé : « Il fait la guerre, nous faisons la nôtre » ? Je suppose plutôt qu'elle ne pensait qu'à Dora, cours, Dora, cours, traverse le petit pont ! Il n'y a rien à supposer, en vérité, sinon ceci : Henriette pensait à Henri. Pendant les vingt premières années de leur vie, il avait été sa seule vraie famille, son seul lien du sang. Ils avaient tout connu ensemble, Genève, Versailles, les allers et retours, les craintes de nouveaux abandons, les révélations sur le père enterré vivant, les bals de Saint-Cyr, la séparation quand Henri fut fait prisonnier en juin 1940. Il avait réussi à s'évader — elle l'avait revu à cette occasion, puis il était parti pour la Syrie, passant dans les Forces Françaises Libres. Depuis, les nouvelles étaient rares, distillées par Marraine, qui en savait parfois plus qu'elle.

Il va revenir, disait-elle à Jean. La chanson la plus chantée de l'Occupation :

> *J'attendrai le jour et la nuit,*
> *J'attendrai toujours,*
> *Ton retour...*

n'avait plus besoin d'être fredonnée. On annonce un arrivage massif de « démobilisés » en bas du quartier de Sapiac. « Allons-y, décide Jean, on y glanera peut-être quelques informations. » Outre Netka, il emmène Claude et moi. C'est très tôt le matin, près de 7 heures. Nous y allons tous à vélo.

Ça se passe sur un vaste terrain boueux, dans lequel pataugent des hommes encore en tenue militaire, mais déjà plus négligée, calot dans la poche, la grande vareuse kaki ouverte, ils sont débraillés, on comprend qu'ils veulent se débarrasser de leurs uniformes comme si changer de vêtements pouvait leur faire oublier les horreurs de leur guerre. Autre couleur, celle des tenues blanches de dizaines d'infirmières regroupées autour de deux véhicules, marqués de la croix rouge. À quoi viennent se mêler des gens en civil, des fonctionnaires mais surtout des parents, des amis, tout ceci dans un grand brouhaha furtif, en partie couvert par le souffle du vent, car il fait froid ce matin-là et l'on grelotte. Il y a des gradés, bien sûr, on ne se démobilise pas comme ça, tout seul, il y a des papiers à remplir, à tamponner, des files se forment devant des tables style militaire en campagne, chaises du même style, pliables, toile et barreaux métalliques. Y sont assis des petits gradés chargés de faire le tri. Mais ce n'est pas très ordonné, tout cela, il arrive que des groupes se forment soudain, des gens qui se reconnaissent, s'embrassent, s'interpellent, des hommes bruyants qui brisent les files d'attente, et nous évoluons au milieu de ces croisements de destins, ces aboutissements d'une époque, aucun de ces hommes, aucune de ces femmes, ne sera plus jamais le même.

Jean et Netka se fraient lentement une voie parmi la foule, les deux petits enfants suivent, un peu égarés, craintifs. Le père et la mère ont entamé un processus d'interrogation systématique, à chaque homme abordé, la même question :

— Magny, vous connaissez le commandant Magny ?

— Non, connais pas, c'est pas mon régiment, ça.

Jean touche le dos de militaires qui se retournent.

— Pardonnez-moi, vous avez entendu parler du commandant Magny ?

Certains ne répondent même pas, haussant les épaules. Jean et Netka savent très bien qu'il est tout à fait possible qu'au sein de ce chaos, personne n'ait eu de lien avec Henri, mais ils insistent, sait-on jamais. Ne pas céder au découragement. Aller au bout. Soudain, à l'énoncé du nom, un homme fait volte-face, il est grand, costaud, mal rasé, le nez cassé, des joues comme coupées au couteau, traversées par les rides, un air brusque, une voix rocailleuse, une tronche de dur, il lâche sans précautions :

— Magny ? Il est mort, Magny. Ben oui, Magny, oui, il est mort. Italie. Monte Cassino.

Netka et Jean s'immobilisent. Jean :

— Vous êtes sûr de ce que vous dites ?

Le type montre alors l'écusson de métal sur la manche de sa redingote : BIMP.

— Je connais. J'y étais pas, mais je connais. Il aurait pas dû y aller, mais tous les officiers et les sous-officiers étaient tués, il était seul, il a pris la tête des soldats, comme il a toujours fait, Magny, il a toujours fait ça, devant les autres.

Netka se jette contre le corps de Jean. Mon frère Claude, qui avait à peine six ans, se souvient de la brutalité des choses. Il me dit :

— Y avait comme du plomb qui nous tombait dessus.

24

19 novembre 1944. *Journal officiel* de la République française.

Décision n° 113 :

Sur le rapport du Ministre de la Guerre, le Président du gouvernement provisoire de la République Française, Chef des Armées, cité, à titre posthume :

MAGNY (Henri, Edmond), Chef de bataillon BIMP : magnifique tempérament de chef et de soldat. Le 12 mai 1944, a entraîné vigoureusement son bataillon à l'assaut de positions ennemies à l'est de Giofano. Les jours suivants, s'est révélé entraîneur d'hommes de premier ordre dont le dynamisme et la bravoure ont fait l'admiration de tous. Est mort glorieusement le 17 mai 1944 sur les bords du Liri, fauché à bout portant par une mitrailleuse allemande à la tête de son bataillon qu'il galvanisait par son courage.

Croix de guerre avec palmes.

Parallèlement, signé par Charles de Gaulle :

Nous vous reconnaissons comme notre compagnon de la Libération de la France dans l'honneur et par la victoire.

Netka possède tous ces documents, papiers jaunis, flétris par le temps, pliés en quatre, rangés dans une enveloppe bistre marquée « Henri ». Elle se fera expliquer plus tard, en détail, la bataille de Monte Cassino, la ligne Gustav, les Français qui parvinrent à faire sauter le verrou et ainsi ouvrir la porte vers Rome aux Forces alliées. « La ligne Gustav », ce drôle de nom reviendra souvent quand elle parlera d'Henri. Elle ne cessera de parler de lui.

Elle s'était jetée contre la poitrine de Jean. Avec sa haute taille et sa carrure d'athlète, il l'avait littéralement enveloppée et ils ne bougeaient plus. Le soldat rugueux avait fait un pas en arrière, dans la boue noire, conscient, maintenant, qu'il aurait dû être moins abrupt. Sur ce genre de visage, autour de ces rides précoces et de ces yeux cernés, avec cette distance du regard du baroudeur lassé des combats, l'expression même d'une excuse a toujours du mal

140

à apparaître. C'est le type d'homme qui ne sait pas dire « pardon », et cependant, il tend une main vers Jean. Celui-ci, incapable de détacher les bras du corps de sa femme, fait un mouvement négatif de la tête, voulant dire, ça va, laissez-nous, je ne vous en veux pas. Le type tourne alors le dos et va rejoindre trois camarades, des Marocains, qui appartiennent à la même armée. Ces hommes avaient été des gamins, quelques courtes années auparavant. Aujourd'hui, ils étaient des survivants, prématurément vieillis. Ils avaient connu la boucherie du Garigliano, la boucherie de ce mois de mai au cours duquel étaient tombées tant de troupes, face aux Panzers allemands qui défendaient le monastère, quatre cent cinquante-trois mètres de colline imbibés de sang. On aurait pu lire le poids du passé si récent sur leurs épaules voûtées. Mais les deux enfants ne les suivaient plus des yeux. Ils étaient eux-mêmes paralysés par la paralysie qui semblait avoir gagné leur père et leur mère, ce couple dressé comme une sorte de statue, au milieu du constant va-et-vient des vivants, militaires, parents, tous ces gens évitant les deux humains figés, elle dans la douleur, lui dans la tendresse, sous le vent.

Netka aura fini par se détacher de la poitrine de Jean, son masque a-t-il été lavé par les larmes, nous n'en voyons aucune trace, elle ébauche un pauvre sourire à l'intention de ses enfants, lèvres serrées. On va reprendre nos vélos. Ni Claude ni moi ne parvenons à nous souvenir comment Netka a eu la force de remonter sur sa bicyclette pour grimper la longue pente vers le chemin Beau Soleil.

Elle vient de connaître là son plus douloureux abandon. Henri était son passé, ils avaient, ensemble, ce lien du sang à quoi rien ne se substitue. Ils avaient tout traversé, ils possédaient des secrets de langage, des joies et des rires incompréhensibles pour les autres, ils avaient eu les mêmes frayeurs, les mêmes journées de bonheur tranquille, et lorsqu'ils se retrouvaient, à la fin de la semaine, au sortir de leurs internats respectifs, en chemin vers la maison de Marraine, ils se tenaient par la main comme des amoureux. Ils se complétaient : Henri était tout en retenue, voire timidité, peu loquace, se situant un peu en retrait, recours de prudence et de modération. Son destin le transformerait, cependant, puisqu'il deviendrait un admirable chef, audacieux jusqu'à l'inconscience, se sacrifiant pour une cause qu'il considérait comme sacrée. « Nous n'étions pas des héros », confiait, un jour, à Benoît Hopquin, pour les besoins d'un très beau livre[*],

* *Nous n'étions pas des héros*, Benoît Hopquin, 2014, Éditions Calmann-Lévy.

un des Compagnons de la Libération encore en vie. C'est précisément cette modestie qui caractérise les héros. Par essence, un héros refuse qu'on lui décerne ce titre.

Mais, dans sa jeunesse, tel était Henri, le contraire absolu de sa sœur. Elle était charmante et charmeuse, un pitre parfois, une séductrice souvent, elle aimait chanter, danser, ridiculiser les ridicules, s'isoler pour rédiger des textes, des sketches, des discours d'anniversaire, et lorsqu'elle les disait, occupant ainsi le devant de la scène, elle ne cherchait d'autres applaudissements que ceux d'Henri qui, dans le grand salon de chez Marraine, assis au premier rang, lui renvoyait un regard de douce et fière complicité. Les autres garçons, les « flirts » qu'elle aimait susciter et entretenir, puis éteindre, n'étaient que des comparses. Henri était ce frère qui se croyait si pâle à ses côtés et dont elle adorait justement la dignité, l'élégance, la franchise, la pudeur et ces yeux clairs qui voyaient en vous, des yeux perçants, peu mobiles.

Lorsqu'il entama, après être sorti de Saint-Cyr, son itinéraire d'officier de garnison en garnison, et que, de son côté, elle entra dans la « vraie vie » du travail et de la routine, les jeunes gens s'éloignèrent mais se donnèrent des rendez-vous réguliers, il fallait qu'elle le revoie, il avait besoin qu'elle le fasse sourire. C'est néanmoins au cours de cette période que Netka remplit ses carnets à couverture verte de poèmes désespérés, le cafard, la solitude, le besoin d'amour. Car si l'amour d'Henri pour elle fut toujours un soutien, elle cherchait aussi l'autre amour, le « grand amour », comme on disait autrefois. Elle voulut faire partager à Henri l'irruption bienheureuse de Jean dans son existence. Les deux hommes se rencontrèrent et se plurent, Jean appréciant la valeur évidente du jeune officier, celui-ci intéressé par la culture et la maturité de cet homme, âgé de plus de vingt ans que sa sœur, sa « petite sœur », comme il l'appelait parfois quand ils étaient en tête à tête, ce Jean dont Henri pensa que Netka avait, avec lui, trouvé bonheur et protection, et avait acquis un nom.

Il est fait prisonnier pendant la débâcle de 1940. Il s'évade. Jean et Netka le recueillent. Il repart, cette fois, bien plus loin et pour bien plus longtemps. La guerre. Mais Netka et lui entretiennent cette sorte de relation qui abolit le temps et l'espace. Elle ne quittera jamais son esprit pas plus qu'il ne s'effacera du sien. Et lorsque Netka apprend la mort d'Henri, c'est, d'une certaine manière, la mort de sa propre jeunesse qui l'envahit et vient, comme l'avait écrit Joseph Roth, croiser ses mains décharnées au-dessus d'elle.

L'amour d'un mari, l'existence heureuse d'enfants n'empêcheront pas ce sentiment, cette exclusive émotion. Ça n'appartient qu'à vous, cette appartenance détruite. Perdre un frère, un frère aîné, un frère unique, c'est comme si l'on vous arrachait un bras. Henri est mort à trente-quatre ans, Netka en a trente-trois.

À cet âge, elle joue encore avec les « petits », côté arrière de la Villa, sous les peupliers, et si le téléphone sonne, on l'entend régulièrement, au loin, elle ne va pas se déplacer pour y répondre. Jean s'en chargera. Et pourtant, il sonne, le téléphone, il sonne, et il continue de sonner.

25

Personne n'a décroché. La sonnerie s'est arrêtée, après de longues minutes.

Jean devait être ailleurs, raccompagnant je ne sais quel solliciteur, de l'autre côté de la maison. Depuis la Libération, tant de gens étaient venus le voir, soit pour le remercier de ce qu'il avait fait, soit même pour lui proposer de jouer un rôle politique — ce qu'il refusa toujours, comme il refusa les médailles qu'on lui destinait. De toute façon, à l'époque, il sonnait rarement, le téléphone, peut-être une ou deux fois par semaine. C'était presque un événement.

Le téléphone était un gros objet noir, lourd, en bakélite, avec un gros cadran rond, à l'intérieur duquel on lisait quelques numéros. Il était posé comme une sculpture, sur la droite du long bureau de mon père, dans la pièce où il recevait, écrivait, travaillait. Il y avait aussi des rangées de livres, deux fauteuils, un buste de Voltaire, noir, comme le téléphone. Netka pénétrait rarement dans cet endroit austère, dont une grande fenêtre donnait sur le balcon arrière de la Villa, et à travers laquelle, quand il l'ouvrait, Jean pouvait entendre les cris et les rires des enfants, les cris et les rires de sa femme.

Quand le téléphone sonna, une deuxième fois, ce jour-là, Jean avait regagné son bureau. La sonnerie était aussi dérangeante que l'appareil, longue et stridente, faisant trembler l'objet qui vibrait sur la plaque de verre recouvrant la surface du meuble. Jean ne l'aimait pas et le comparait à un crapaud. Il décrocha le combiné téléphonique du socle et la voix d'une standardiste lui dit :

— Ne quittez pas, Monsieur, on vous demande depuis la capitale.

Les opératrices du Tarn-et-Garonne ne disaient pas « Paris », mais « la capitale ». Avec l'accent local.

— J'écoute, dit Jean.

Un court silence, ponctué de quelques sifflements, puis, une voix de femme, un peu lointaine :

— Bonjour, Monsieur, vous êtes bien M. Jean Labro ?

— C'est exact, Madame, à qui ai-je l'honneur ?

— Mon nom ne vous dira rien, je m'appelle Mme Joseph Tarare, mais mon nom de jeune fille vous en dira plus, je suis Marie-Hélise Carisey, la mère de votre épouse. J'ai déjà essayé de vous appeler à plusieurs reprises.

Elle avait une voix polie, posée, avec des intonations un peu graves, et elle parlait avec une certaine prudence dans le ton, comme quelqu'un qui s'avance en terrain inconnu. On marche sur la glace.

Jean ne sut que répondre :

— J'étais sans doute absent, Madame.

— Oui, j'ai retrouvé votre trace grâce à la Croix-Rouge. J'ai appris que Netka et vous avez des enfants, quatre garçons, si j'ai bien compris.

— C'est exact, Madame.

Il y eut comme un brouillage sur la ligne qui rappela à Jean le bruit étrange et envoûtant des messages envoyés par Radio Londres, il y avait si peu de temps de cela.

— Je vous entends mal, Madame.

— Ne coupez pas, Monsieur, je vous en prie.

— Je ne coupe pas, je vous écoute.

Dès les premiers mots prononcés par Marie-Hélise, dès qu'elle s'était identifiée, Jean avait adopté une attitude de complète neutralité. Il ne lui était pas venu l'envie de l'interpeller par une phrase du genre : « Vous en avez mis du temps ! », quel que pût être sinon son ressentiment (il n'était pour rien dans l'histoire de cette inconnue), du moins son reproche d'avoir abandonné Henri et Netka. Il était en position d'attente.

— Voilà, Monsieur, je souhaite revoir ma fille, je

voudrais faire la connaissance de mes petits-enfants, et faire aussi votre connaissance, cela va de soi.

Jean réfléchit un instant. Silence des deux côtés de la ligne. Pour moi, pense-t-il, c'est à Netka de répondre. Et ce d'autant plus que la mère insiste :

— Avant tout, je veux revoir Netka, ma fille.

— Madame, ne quittez pas, voulez-vous. Je vous reparle d'ici peu de temps.

Il se lève, pose le combiné noir et écouteur ouvert sur le bureau, il se dirige vivement vers la porte qui mène sur le balcon, descend vivement les marches pour atteindre cet espace de jardin, sous les peupliers, où se trouvent Netka et les « petits ». À peine a-t-elle vu Jean marcher à pas pressés sur le chemin d'herbe qui mène aux quatre peupliers (quatre, comme les garçons) que Netka a laissé les enfants, qui sur la balançoire, qui aux prises avec une corde à nœuds, et s'est dirigée vers son mari.

— Qu'est-ce qu'il y a, Jean, tu as l'air contrarié ?

Il va vite. Mais il choisit tous ses mots avec scrupule.

— Netka, j'ai ta mère, là-haut, au téléphone. Elle dit qu'elle nous a retrouvés par la Croix-Rouge et elle souhaite te revoir, elle veut connaître les enfants — ses petits-enfants.

Netka ne prend aucun temps pour réagir. Elle secoue la tête :

— Non.

Elle répète « non » à voix basse afin que les enfants ne puissent suivre la conversation de leurs parents, mais le dit avec force, avec la même rapidité avec laquelle elle avait expédié Dora au-delà du Tescou. La rapidité de l'instant, de l'instinct.

— Non, Jean, je ne veux pas.

— C'est ta mère, Netka, c'est leur grand-mère. Elle attend, là-haut, au téléphone. Je dois lui donner une réponse.

Netka est ferme, froide, déterminée :

— Non, c'est ma décision, c'est à moi de décider, à personne d'autre, je ne veux pas la revoir.

— Tu es certaine ?

— Oui.

— Tu es libre, Netka.

— Oui, je suis libre, personne ne peut me dicter.

— Je ne t'ai rien dicté. Je dis seulement que nous ne pouvons pas attendre.

— Eh bien, mon chéri, remonte dans le bureau et dis à cette femme que je refuse de la revoir. Je refuse.

Quelques marches d'escalier, le balcon, la porte du bureau restée ouverte, et sur la plaque de verre du meuble, le combiné d'où part le même sifflement entendu plus tôt. Jean saisit l'objet noir et le porte à son oreille. Il y a du brouillage sur la ligne.

— Allô, Madame ? Vous êtes toujours là ?

Un silence. Il craint de l'avoir perdue. Et puis, la voix de Marie-Hélise :

— Je suis là. Je vous attendais.

Jean observe un court silence. Il se sent embarrassé, ça ne lui arrive pas si souvent, l'hésitation n'est pas son fort, ni l'indécision, ni, parfois, la rudesse.

Il n'a jamais proféré une accusation quelconque à l'égard de la mère abandonneuse lorsque Netka, longuement, peu après le début de leur liaison, voulut qu'il sache tout de sa vie passée. Netka lui a seulement décrit, une seule fois, ce dont elle se souvenait : l'image d'une femme aux cheveux châtains, petite, vivace et belle, selon les canons de l'époque. Jean ne l'a pas plus interrogée. La naissance de leur amour, la certitude qu'ils se marieraient, leur désir commun d'avoir des enfants, sa volonté immédiate et impulsive de protéger son « petit oiseau » l'emportaient sur tout le reste. Comme Netka, mais d'une autre manière, il avait balayé le passé d'Henriette. Lorsqu'il avait écrit à son ami intime, son confident et complice, Jacques Soubrier, pour livrer une des raisons de son « coup de foudre », Jean lui avait dit, à propos de Netka : « Et puis, que veux-tu, il y avait l'innocence. »

Bien sûr, il se trompait. À vingt ans, Netka avait vécu suffisamment d'épreuves douloureuses pour ne plus baigner dans l'innocence. Aujourd'hui, à l'arrière de la Villa, Netka, à trente-cinq ans, mère de quatre enfants, ayant traversé les périls de l'Occupation et partagé les dangers et les conséquences de leur bravoure commune, était plus qu'en mesure de décider par elle-même. Jean avait cependant dit :

— C'est ta mère. C'est leur grand-mère.

Ce qui constituait une manière, sinon de prendre

parti, du moins d'amorcer une influence. Pour ce cérébral, qui privilégiait la réflexion avant l'action, cela signifiait :

— Tu devrais peut-être réfléchir.

Mais Netka, elle, avait privilégié l'instinct et l'émotion, et le cri venu du fond d'elle-même, des nuits de sa petite enfance. Jean se souvint brusquement que Netka lui avait dit une fois, quand ils habitaient Paris, place des Ternes :

— Je resterai toujours fidèle à Marraine.

Alors, il reprit son ton neutre et factuel :

— Je suis désolé, Madame, mais votre fille refuse de vous revoir.

Il y eut un bref silence. Il croyait entendre, dans le fond du brouillis de la transmission téléphonique, quelques notes de musique, avec une sorte de tonalité africaine.

— Elle vous a dit cela ?

— Oui, Madame. Elle me l'a répété à plusieurs reprises.

Nouveau silence, plus long que les autres, rempli seulement de l'étrange bruit de fond musical. Jean eut la sensation que l'on éprouve parfois et selon quoi l'interlocuteur, ou -trice, n'est pas seul — ou seule —, il imagina que quelqu'un d'autre tenait le gros écouteur qui complétait les appareils en bakélite. Alors, il pensa : « Qu'on en finisse. »

— Je vais vous laisser, Madame, soyez assez aimable pour ne plus essayer de nous joindre.

— Je comprends, fit-elle.

— Mes hommages, Madame.

— Au revoir, Monsieur.

Jean reposa le combiné hâtivement, comme soulagé. Décidément, pensa-t-il, en retirant sa main du gros crapaud noir, je n'aime pas le téléphone. Par la fenêtre restée ouverte, il distinguait les joyeux éclats de voix de ses fils et de leur mère qui se confondaient avec la brise tremblante dans les feuilles des peupliers.

26

Netka a bonne mémoire. Elle s'amuse à la confronter à la mienne.

— « Dans le vieux parc solitaire et glacé / Deux formes ont tout à l'heure passé. » Tu connais la suite ? Je la connais, puisqu'elle m'a récité ce poème de Verlaine des dizaines de fois :

Dans le vieux parc solitaire et glacé
Deux formes ont tout à l'heure passé.
Leurs yeux sont morts et leurs lèvres sont molles,
Et l'on entend à peine leurs paroles.
Dans le vieux parc solitaire et glacé
Deux spectres ont évoqué le passé.
— Te souvient-il de notre extase ancienne ?
— Pourquoi voulez-vous donc qu'il m'en souvienne ?
— Ton cœur bat-il toujours à mon seul nom ?

Toujours vois-tu mon âme en rêve ? — Non.
— Ah ! les beaux jours de bonheur indicible
Où nous joignions nos bouches ! — C'est possible.
— Qu'il était bleu, le ciel, et grand, l'espoir !
— L'espoir a fui, vaincu, vers le ciel noir.
Tels ils marchaient dans les avoines folles,
Et la nuit seule entendit leurs paroles.

Netka est ravie. Elle déroule tous les vers du « Colloque sentimental » puis semble vouloir revenir sur deux passages :

Te souvient-il de notre extase ancienne ?
Pourquoi voulez-vous donc qu'il m'en souvienne ?

Sa nostalgie n'est pas pleureuse, Netka ne gémit jamais sur le sort, il y a du fatalisme en elle. Cela fait déjà dix ans (1983) que Jean est parti, elle le constate et répète, c'est une véritable litanie dans nos échanges :
— On savait bien qu'il s'en irait avant moi. On ne pense pas à ces choses-là, au début. On s'aimait.

Il est 14 heures, un jour de semaine, j'ai organisé la journée à Paris en dégageant des rendez-vous, j'ai pris la navette à Orly, et suis monté de l'aéroport de

Nice au Mont-Boron, en taxi, sans oublier de m'arrêter chez un fleuriste. On a déjeuné, grâce à Maïté qui
nous a laissés en tête à tête comme chaque fois. Et,
comme chaque fois, nous avons parlé de tout, pour
en arriver à l'homme de sa vie.

— Il était trop pessimiste, lâche-t-elle.

J'ai sorti mon carnet Moleskine et mon stylo. Elle
fronce le sourcil.

— Pourquoi prends-tu des notes ?

— Parce que sinon, j'oublie. Ça t'ennuie ?

— Non, non, ça ne m'ennuie pas, fais ce que tu
veux.

Donc, je repose le stylo et referme le carnet. Tel est
le génie des mères : elles vous disent « non » afin que
vous compreniez bien que c'est « oui-oui, ça m'ennuie ». Très bien, tant pis, je vais avancer comme ça.

— Pourquoi ce poème de Verlaine ? Pourquoi
cites-tu aussi, souvent, celui de Jules Laforgue ?

— Ah, oui :

> *Un couchant des Cosmogonies !*
> *Ah ! que la Vie est quotidienne…*
> *Et, du plus vrai qu'on se souvienne,*
> *Comme on fut piètre et sans génie…*

« Eh bien, parce qu'on aimait le réciter avec ton père.

— C'est un peu triste, non ?

— Oui, mais il y a du vrai : « Comme on fut piètre
et sans génie. »

— Bon. Je peux te poser une autre question ?

— Bien sûr.

— Je peux te demander pourquoi tu n'as pas voulu revoir ta mère ?

Elle ne répond pas.

— Tu sais bien, papa nous l'a assez raconté, le coup de téléphone, la Croix-Rouge, la Villa, tout ça.

— Eh bien quoi, tout ça ?

Ses yeux, dont je ne parviens à percevoir si le bleu l'emporte sur le châtaigne ou sur le vert, ses yeux brillants, quand le sourire domine, brillants mais d'un autre éclat quand ce souvenir surgit.

— J'ai envie de comprendre, je t'en prie, ne prends pas ça mal, mais je voudrais savoir pourquoi tu as refusé de la revoir.

Elle n'attend plus pour répondre, sans émotion, comme une évidence :

— Henri et moi, on la détestait, elle nous avait fait trop de mal. J'étais en train de jouer avec vous, ton père m'a posé la question, non, je ne voulais plus la revoir, elle nous avait fait trop de mal.

— Explique-moi, tu n'avais pas au moins la curiosité de savoir ce qu'elle avait fait, ce qu'elle était devenue ? Henri n'était plus là, mais tu ne crois pas qu'il aurait dit oui, lui ? Après tout, il s'était déjà déplacé pour connaître ses demi-sœurs polonaises, avant la guerre, ce que tu n'as jamais fait.

— Non, jamais, c'est vrai.

— Dis-moi.

157

Elle m'interrompt, agitant sa main parcourue par les veines. Sa peau est tavelée, Netka s'est trop exposée au soleil, il en résulte que ses mains, comme son visage, ont cet aspect plissé, froissé, les rides excessives sont écrites comme ses lignes parallèles sur les joues, ces rides que nos enfants aiment, ça les attendrit. Ils les caressent.

— Je t'ai dit. Henri et moi avions fait ce pacte.

Elle ajoute, en levant ses deux bras vigoureusement vers une photo encadrée, en noir et blanc, celle de ses quatre garçons sur la plage, avec elle, au milieu d'eux, à Hossegor :

— Et puis, et puis... il y avait « Vous ». Oui, il y avait « Vous ». Je ne voulais pas qu'elle...

Netka cherche le mot juste, le verbe qui peut définir ce qu'elle craignait le plus : que sa mère s'immisce dans le monde créé par Jean et Netka, que sa mère pénètre le cocon, déchire le rideau de protection, soit introduite et s'installe dans ce cercle de famille grâce à quoi sa fille s'est refait une vie. J'ai pensé que le refus de Netka avait été, au fond, d'une certaine violence. On peut comprendre ce que Netka voulait signifier à Marie-Hélise : tu m'as privée d'une enfance, je ne vais pas te laisser profiter de celles dont je suis l'auteur. Tu n'as pas été une mère. Je ne vais pas te faire le cadeau d'être une grand-mère.

Cette interprétation ressemble à un choix de vengeance. Or notre Mamika ignorait et ignore ce sentiment. Tout amour, tout indulgence vis-à-vis de tous. Le dilemme est plus complexe et c'est pourquoi elle n'a pas trouvé le verbe. En politique, c'eût été simple, on appelle ça « faire de l'entrisme ». Avait-elle donc peur de l'étrangère qui serait « entrée » dans l'univers de la Villa, avait-elle peur de sa mère ? J'avais six ans quand, sur un chemin de gravier, face à deux salauds venus chercher Dora, elle nous avait démontré qu'elle ne connaissait pas la peur. Alors, j'ai arrêté les hypothèses, et j'en suis resté, moi aussi, à la recherche du verbe qu'elle ne parvenait pas à trouver pour définir son refus : « Je ne voulais pas qu'elle... »

Netka n'a pas voulu se donner l'occasion de poser la question fondamentale, proche de celle du Christ sur la croix :

« Pourquoi m'as-tu abandonnée ? »

Moi, c'est cela que j'aurais voulu faire, si j'avais été à la place de Netka — ne fût-ce qu'une heure de rencontre, mais poser la vraie, la profonde et tragique question : « pourquoi m'as-tu abandonnée ? », et elle m'aurait répondu, ou pas, et je ne l'aurais plus jamais revue. Comme il est facile de dire : « si j'avais été à sa place » — comme c'est stupide, étroit, irréel. C'est vaniteux et vulgaire. Nous ne pouvons jamais nous mettre « à la place » des autres, pas plus qu'eux à la nôtre. J'ai soudain ressenti l'impudeur de mon attitude, stylo et carnet reposés, certes, mais prenant des notes dans ma tête, petit journaliste de l'intime. Netka avait dit « non » parce qu'elle jugeait

qu'aucune explication, aucune excuse, aucun pré-
texte, l'époque, l'argent et son manque, la difficulté
d'être une femme illégitime dans une société sans
tolérance, se retrouver seule ayant perdu l'amour de
sa vie, déboussolée, aux abois, etc., aucune de ces
choses qui avaient fait le destin de Marie-Hélise ne
pouvait occulter cette règle : on n'abandonne pas
ses enfants. Il existe des règles immuables et non
écrites et qu'il n'est même pas besoin d'énoncer. On
n'abandonne pas.

J'ai pris la main de ma mère et je l'ai embrassée.
Maïté apportait du thé et des biscuits, des gavottes,
que Netka aimait beaucoup. Elle s'est tournée vers
la fenêtre.

— Le soleil va se coucher tôt, ce soir.

Il était temps d'aller reprendre la navette pour
Orly.

27

Lorsque j'étais encore très jeune, ignorant et arrogant, je débutais dans le journalisme, mon père me tint à peu près ce langage :

— Garde-toi de juger d'abord. Il faut surtout comprendre. Ne rejoins jamais la catégorie des juges. Essaye de comprendre et si tu y parviens, alors, tu peux te permettre de juger — et encore ! Il faut, avant tout, tenter de comprendre.

Qui peut juger Marie-Hélise, qui « nous avait fait trop de mal » ? Netka, sans doute, et elle seule. Mais qui sommes-nous pour la juger, nous qui ne savions rien de la fille d'une fille de ferme d'Émagny ? Que doit-on comprendre ?

Déjà, elle aussi n'a jamais su qui était son père. Peut-être a-t-elle souffert, au même âge, des mêmes humiliations que subirait Netka, plus tard. Dans ce début du XXᵉ siècle, pour accéder au métier d'institutrice en arrivant de nulle part, il lui a certainement fallu beaucoup de volonté et d'intelligence. La femme, à l'époque, est considérée d'une manière quasi universelle en France, et ailleurs, comme vouée au foyer, à la famille, aux labeurs de base, de moyen niveau, ou alors à la « vie légère », cliché classique d'une société misogyne. Marie-Hélise vient d'Émagny, c'est-à-dire du fin fond de la province, sans autres armes que sa personnalité, son caractère et sa beauté. Comme nous ne possédons aucun portrait d'elle, seule notre imagination nous incite à croire qu'elle est belle.

À vingt-cinq ans, elle rencontre Henryk de Slizien, trente-sept ans, cela se passe où ? J'ai tendance à penser que c'est Genève, puisque tant de choses vont tourner autour de la Suisse. Il a déjà des enfants, il est encore jeune, c'est un puissant et riche aristocrate polonais à la tête de ce qu'on appelle un latifundium, ces grands domaines d'exploitation archaïque que la révolution détruira. Elle n'a rien d'autre que sa propre personne. Comme on ne divorce pas quand on est né Slizien, ils vont vivre leur liaison de façon clandestine, parallèle, mais ce ne sera pas une simple amourette, ils font un enfant, elle décide de l'appeler Henri, comme le père, et ce n'est pas un accident, ni un hasard, puisqu'ils décident de faire un second enfant, une fille, Henriette. Les naissances se dérouleront dans deux endroits différents et insolites. Villepinte d'une part, et Dresde de l'autre. On entre dans un cycle. Nomadisme. Vies parallèles, vies seules, doubles vies. Tant qu'Henryk est là, Marie-Hélise peut compter sur lui. Difficulté des rencontres, distances et romance. Que faire des deux bébés ? Les élever ? Mais le veut-elle, en éprouve-t-elle le désir ? J'essaye de situer tout cela dans le calendrier : Henri et Netka ont à peine quatre ans lorsque éclate la Grande Saignée, la fatale Première Guerre mondiale, 14-18, l'événement qui va bouleverser des millions et des millions d'individus et bousculer la carte du monde. Si les choses deviennent, dès lors, très difficiles, dangereuses, il est logique d'admettre qu'Henryk et sa maîtresse ont choisi la Suisse, terre neutre, terre de refuge, terre protégée, les enfants pourront y grandir en paix. D'accord, ça, on comprend, c'est même un geste sage et responsable. Ils sont en pension, ils ne manquent de rien, Manny contrôle. Mais alors, que fait Marie-Hélise ?

Elle aurait eu toute liberté d'élever les enfants, toute la liberté. Elle aurait pu leur donner amour, tendresse, chaleur, habitudes et attitudes, culture et goûts musicaux ou autres, que ce soient ses enfants à elle, qu'elle les voie grandir et s'en réjouir, et ne pas laisser tout cela à Manny, la logeuse, la mère-bis — et partir ailleurs. Elle aurait pu être une mère — sans la présence assurée ou l'existence d'un père, certes, mais une vraie maman, néanmoins. Au lieu de quoi, on ne la voit pas, elle prend de temps en temps des nouvelles. Elle est ailleurs, mais où ? A-t-elle rejeté à ce point le devoir et le bonheur d'être une mère, doit-on chercher la raison dans sa propre enfance, dans les cours des fermes d'Émagny ou de la région ? Le manque absolu d'amour parental a-t-il engendré la même défiance chez la fille ? Quand le grand massacre de 14-18 s'achève, il devient plus facile à Henryk et Marie-Hélise de se revoir et renouer leur passion, et pendant deux ans, le couple va parcourir l'Europe, de grands hôtels en palaces, de soleils à montagnes enneigées, amants égoïstes, aveugles adultes dans un monde qui se remet à peine du traumatisme général.

L'Histoire, avec sa puissance destructrice, vient achever la belle histoire du comte et de l'institutrice. En 1920, Henryk est assassiné par les bolcheviks dans un champ d'herbes de Biélorussie. Un jour, Marie-Hélise n'aura plus d'autres ressources que sa propre volonté et, pour refaire sa vie, elle récupérera les deux colis, Henri et Netka, pour les larguer chez une autre mère, pension moins chère, la France, Marraine. A-t-elle repris son métier d'institutrice ? Ou s'est-elle envolée ?

Tout cela est à peu près cohérent, à condition que l'on saisisse la véritable personnalité de Marie-Hélise, et qu'on ne veuille pas la juger. Était-elle « légère » et « volage » — deux termes utilisés par Marraine à l'intention d'Henri et Netka lorsqu'ils ne furent plus des enfants ? Était-elle une « voyageuse » comme me l'a définie Netka avec délicatesse et pudeur ? Que

cherchait cette femme, et qu'a-t-elle trouvé ? Y avait-il
du désespoir en elle ? Quelle sorte de désespoir ?

« Elle nous avait fait trop de mal », m'a dit Netka.
De quel mal parlait-elle ? C'est quoi, le mal, pour
un enfant qu'une mère a abandonné ? C'est, tout
simplement, le vide affectif, le trou noir, la sensation de n'être rien ni personne aux yeux de la seule
femme qui importe, celle qui vous a porté, puis
mis au monde. Comment se construit-on, dès lors ?
L'un, Henri, ira vers les armes, donc la mort. L'autre,
Netka, ira vers le hasard, donc l'amour.

Quant à Marie-Hélise, après la mort d'Henryk, en
1920, elle se mariera cinq ans plus tard — j'ai trouvé
ça sur l'état civil de la mairie d'Émagny — avec un
homme dont nous ne savons, non plus, rien. Entre
cette date (1925) — qui témoigne, grâce au graf-
fiti à peine lisible d'un employé municipal sur le
coin gauche d'une feuille, que Marie-Hélise existe
et bouge — et l'autre date (1945), celle du coup de
téléphone à la Villa, juste après la guerre, aucune
trace, aucune correspondance qui puisse aider à
comprendre un destin qui laisse, alors, toute place à
l'imaginaire et au romanesque. Je pourrais tout écrire
sur elle puisque sa page est vierge ou presque, mais
je préfère reprendre le carnet à couverture verte de
Netka, car il m'en a fait beaucoup plus comprendre.

C'est un objet qui ne ressemble pas tout à fait à mes Moleskine favoris. Moins professionnel, plus scolaire. Les cent trente-deux pages d'un papier fin, quadrillé, sont fatiguées par le temps. Un peu plus grand, un peu moins épais, une couverture de carton dont la ganse en toile verte dense maintient les cartons recto et verso du carnet. Sur la couverture, Netka a écrit son nom et le titre « Poésies », la date : 1930-1931. Un an qui précède sa rencontre avec Jean.

Elle a numéroté ses poésies. La table des matières comporte cinquante titres. Ça va du numéro un : « Mes mots » au numéro cinquante : « Sonnet d'hiver », en passant par le numéro quatre : « Versailles », le numéro six : « Genève », le trente et un : « À quoi bon », le quarante-sept : « Insomnies », le quarante-huit : « La dernière heure ». C'est réalisé sans fautes, sans une écorchure, sans gribouillis. Elle a visiblement recopié avec discipline les poèmes qu'elle devait composer sur d'autres feuilles. Le graphisme est clair, c'est une écriture sage et ronde, qui respecte tout, virgules et espaces, un graphologue y verrait peu de choses, car c'est trop appliqué, pas assez naturel. On trouve dans ses poèmes du spleen, de la solitude, de la tristesse, de la gravité, une quête éperdue d'amour. Simultanément, on y trouve l'affirmation que « la vie est belle ». Et quand elle parle de la vie, elle y met une majuscule. On peut deviner, en filigrane, l'histoire qu'elle eut avec le jeune homme « qui ressemblait à l'amour », Louis. On sent, sur la fin, une trace d'espoir, comme si elle pressentait qu'elle allait rencontrer Jean. Mais le poème qui va le plus parfaire mon enquête, c'est le numéro douze, titré « Rêves », car j'y trouve, enfin ! une pièce manquante du puzzle :

Voilà. J'avais rêvé de gloire et de bonheur.

Puis, plus loin :

Ainsi j'avais rêvé que mon œuvre future,
Me donnerait le nom que je n'ai pas reçu,
Et j'avais espéré que l'injuste nature,
Saurait que j'étais plus qu'elle n'avait conçu.

Et termine :

Mais tout cela n'était que pâle illusion.

C'est la Netka de ses vingt ans qui parle. Son succès dans un modeste concours de poésie, ses débuts dans le journalisme lui ont donné la « pâle illusion » de la « gloire ». Mais si elle la recherchait, cette gloire, c'était parce que l'œuvre lui « donnerait le nom que je n'ai pas reçu ». La formule est sans équivoque : « ce nom qu'elle n'avait pas reçu », ce petit vers disait tout de la mystérieuse, tout de son non-dit, elle, la honteuse « née de père inconnu », tout de l'injustice d'un destin. Elle ne l'a jamais exprimé aussi précisément que dans ce poème, inconnu des siens, connu, en revanche, plus probablement de Jean. Car à la minute où elle le rencontre, l'aime et l'épouse, reçoit un nom qui n'est pas le sien mais qu'elle va faire sien, Netka, sans regret, envoie valser ses « rêves de gloire ». La dame très âgée, l'ancienne élève de Marraine, m'avait dit, lors de mon enquête : « Elle a tout sacrifié pour son mari et ses enfants. » Je ne crois pas que ce fut un « sacrifice ». Elle a choisi, elle a eu l'immense clairvoyance de saisir la Vie, avec une majuscule, et de s'affranchir de la gloire, « le deuil éclatant du bonheur ». Mais il faut aller encore un peu plus loin.

Les abandonnés, ceux qui n'ont pas été reconnus, les enfants que l'on dit « naturels » (formule dépourvue de sens), s'en sortent comme ils peuvent. Certains, précisément, parce qu'ils n'ont pas « reçu un nom », vont s'en fabriquer un qui ne sera dû qu'à leur talent, leur opiniâtreté, leur féroce volonté de devenir « quelqu'un ». Ce phénomène est souvent vérifié dans les univers du spectacle, de la création artistique, quelle qu'elle soit, mais aussi dans l'univers du sport et, plus encore, peut-être, dans celui de la politique.

D'autres, parce qu'ils n'ont pas été reconnus, transmettent à leurs enfants ce désir de faire et de créer afin d'exister. Ils trouvent, alors, dans la réussite de leur progéniture une fierté, une satisfaction, un apaisement.

Je la devine tellement mieux, aujourd'hui, Netka, ma mère. C'est elle qui a poussé ses enfants en avant, toujours elle. J'ai consacré un livre à la gloire de mon père*, mais il est temps, il est juste et nécessaire de rendre hommage au rôle que Netka a joué dans mon évolution. C'est elle qui, apprenant ce que sont les bourses Zellidja, me pousse, à quinze ans : « Vas-y. » Et je pars, en auto-stop sur les routes de Grande-Bretagne. C'est elle qui, à la même époque ou presque, apprend que *Le Figaro* va faire un « Journal des Jeunes » pendant trois semaines, à l'occasion du Salon de l'Enfance, et qu'on recherche des aspirants journalistes, et qui me dit : « Vas-y, c'est pour toi. » Et je découvre le métier de ma vie. C'est elle qui, autant que mon père, m'encourage à persister pour l'obtention d'une autre bourse, aux États-Unis, à dix-huit ans — et cela va constituer un des grands tournants de mon existence. Je lui dois tout cela. Je lui dois tout.

* *Le petit garçon.*

28

Je ne prends pas assez souvent la navette, et je m'en veux.

Netka est restée à Nice après la mort de Jean, dans le même appartement. On n'a pas touché aux meubles ni aux vêtements de son mari. Nous avions cru qu'elle ne supporterait pas cette absence si présente. Nous nous étions bien trompés. Elle en avait besoin. Elle le voyait toujours là, arpentant le sol de son salon-bureau, son Jean, dont elle tenait la photo dans le petit étui, le machin sans nom. Elle reçoit les visites espacées de ses trois fils vivant à Paris, et celles, quasi quotidiennes, du quatrième, Claude, qui vit à Vence, avec sa femme, Martine. Ce qui est une bénédiction pour Netka, et, je le confesse, pour moi. J'ai un réflexe de lâcheté : « Je ne suis pas venu depuis longtemps, mais il y a Claude. »

Lorsque je préviens Claude qu'à mon tour je vais prendre le Paris-Nice pour passer la journée au Mont-Boron, auprès de Netka, il a la belle intelligence de ne pas venir me rejoindre.

— Elle ne te voit pas assez souvent. Il vaut mieux que nous te laissions tout à elle.

Je débarque sur le coup de midi. On déjeune et on parle. On rit, aussi. L'énergie de vie de Netka n'est pas mesurable. Elle a tout connu, rupture des deux os du fémur, une violente septicémie, hospitalisation, infection nosocomiale, nous l'avions vue en réanimation, nous l'avions crue perdue — elle s'est relevée. Elle a fait de la rééducation. Maïté, qui la sert avec une dévotion et une patience exemplaires de compagne et d'assistante, me dit que, ce matin encore, elle a refusé la chaise roulante, refusé les bras du kiné, et tenté de traverser la pièce toute seule.

Netka observe les plantes sur le balcon, commente leur croissance, pointe du doigt un vol d'hirondelles au-dessus des palmiers du parc qu'elle ne trouve « pas assez vert » et s'extasie sur les facéties de son chat qui va, bientôt, venir sauter sur ses genoux. Elle étale les photos récentes qu'elle a prises des enfants de Jacques, les situe dans le temps, elle a presque toujours son vétuste appareil de photo près d'elle, il n'est pas question d'interrompre la fabrication du nouveau volume de photos — on en est au trente-huitième depuis les années 30. À chaque passage chez elle, il faudra que Maïté prenne la photo de Netka et son

171

fils, « on l'a déjà fait la dernière fois, maman. — Eh bien ça ne fait rien, on va la refaire ». Elle a relu *Un cœur simple* et m'en parle avec précision :

— C'est très bien de relire. On s'aperçoit qu'on n'avait pas tout compris.

Et elle en rit. Son amour de la vie me laisse muet. Elle rit de ses propres aphorismes. Elle rit d'elle-même plus que des autres. Il y a longtemps, lorsque, avec Jean, ils avaient pris leur retraite à Nice, nous avions décidé que nous nous écririons une fois par semaine, quoi qu'il arrive :

— Comme quand tu étais en Amérique. J'ai gardé toutes tes lettres.

Cette correspondance me permet, parfois, de me sentir moins coupable — coupable de n'être pas venu depuis trois mois ?

— Oui, oui, c'est exact, trois, j'ai noté. Ça fait au moins trois mois, mon chéri.

La journée passe vite, d'autant que je suis affligé d'une tare insupportable pour les miens : la phobie du retard, la peur fébrile de rater un train, un avion, ce qui s'insinue en moi de longues heures avant celle du départ. Aussi bien, alors que je sais que la navette part à 19 h 35, je vais regarder ma montre dès 15 heures, quand nous prenons le café. Je songe déjà au taxi qu'il faudra convoquer deux bonnes heures à l'avance, saura-t-il prendre le chemin du Mont-Boron, faudra-t-il que je lui explique au téléphone ? Y aura-t-il beaucoup de circulation en chemin pour l'aéroport ? La Promenade des Anglais ne va-t-elle pas être bouchée ? L'obsession a pris le pouvoir.

— À quoi penses-tu, mon chéri ? demande Netka.

— À rien, ne t'inquiète pas. De quoi parlions-nous ?

J'ai renoncé, depuis quelque temps, à l'interroger sur tous les non-dits de son passé, je ne sors plus le Moleskine, il n'est plus question de la harceler, l'embarrasser, la mettre en conflit avec ses dénis, ses oublis volontaires ou pas, ça va comme ça, de toute façon, je ne pourrai jamais écrire le roman de Netka tant qu'elle sera en vie, ça m'est impossible, et elle sera encore longtemps en vie. L'heure tourne et tourne et tourne et la panique intérieure me gagne, je ne peux pas rater cet avion, il faut appeler le taxi, c'est fait, il arrive dans les cinq minutes, je l'attendrai en bas. Je remballe quelques affaires dans un petit sac (le chargeur de mon portable, des journaux, des cassettes VHS de mes émissions que j'avais envoyées à Netka, qu'elle a visionnées, c'est très bien, dit-elle, très bien — et qu'elle me rend parce qu'on ne sait plus où les ranger), et je m'apprête à la quitter. Je l'embrasse sur ses joues flétries, elle me rend le baiser.

— Au revoir, maman, je reviens très vite, j'écrirai, comme toujours. Je t'aime.

— Moi aussi, mon chéri.

Elle est restée assise au milieu du salon, et j'ai emprunté le petit couloir qui menait à la porte d'entrée, j'ai touché la poignée quand j'ai entendu la voix de Netka qui m'interpellait. Elle était haute et claire, cette voix, elle portait loin pour être sûre que je ne la manquerais pas. Elle avait, aussi, une tonalité joyeuse et quelque chose d'un peu ironique dans le phrasé. Elle disait :

— Merci, merci pour ton effort !

Ça m'a cloué sur place, immobilisé, interloqué et même stupéfié. J'ai refermé la porte et reculé dans le couloir. Je l'ai regardée. Elle souriait, mutine, maligne, malicieuse et sévère.

29

J'avais écrit pour Johnny Hallyday, au début des années 70, les paroles d'une chanson dont la mélodie revient à Tommy Jones et Micky Brown, qui s'intitule : « Sarah ».

Ç'avait été un tube et c'est une des rares, de toutes les chansons que j'ai pu écrire pour Johnny, qu'il a continué d'interpréter au long des décennies. Il y a du rythme, les chœurs des filles scandant le prénom « Sa-rah », et ça monte en puissance. Les paroles disent l'impatience du chanteur qui attend que Sarah lui offre son corps — « car tout passe et tout casse, et tout lasse », etc. Au deuxième couplet, Sarah a succombé, et le chanteur lui crie :

Oh, ma pauvre Sarah,
Tu m'as donné ton corps,

Oh, oh, oh, pauvre Sa-rah,
Merci !
Merci pour ton effort.

Ces cinq derniers mots, d'un cynisme et d'une misogynie plutôt crus, avaient un peu surpris à l'époque. Un de mes amis, Nagui, me les a souvent cités, avec humour, et une légère pointe d'ironie :

— Dites donc, « Merci ! Merci pour ton effort », quand même, vous y êtes allé un peu fort ce coup-ci.

Or, voici que Netka, à quatre-vingt-dix ans, sinon plus, se souvient de cette formule datant d'il y a plus de vingt ans et qu'elle la lance délibérément pour me prouver, non seulement qu'elle a de la mémoire, qu'elle connaît bien tous mes écrits, même les plus superficiels, mais que je n'ai, précisément, pas fait beaucoup d'efforts pour rester plus longtemps à ses côtés. Ce n'est pas accusatoire, mais réfléchi : tu viens tous les trois mois, parfois tous les semestres. Tu passes la fin de la moitié de la journée à regarder ta montre. Je ne te reproche rien. Je constate. Je me suis retourné vers elle, il y avait une grande gentillesse dans son sourire, de l'indulgence et aussi une lueur de sarcasme. J'étais comme un imbécile, un benêt, un petit garçon pris la main dans le pot de confiture, un petit con. Elle avait cet air frondeur qui m'a fait penser à la lycéenne de Versailles qui scandalisait les directrices d'établissement, presque un siècle auparavant. Elle avait la lucidité que n'exclut pas la gentillesse.

Ce soir-là, j'ai raté la navette.

Plus tard, depuis ce « merci pour ton effort », je me suis interrogé : ai-je assez aimé ma mère, l'ai-je assez aimée ? Aimons-nous assez ceux que nous aimons ?

30

J'y ai pensé pendant toute la journée quand nous l'avons enterrée au cimetière du Nord, au-dessus de Nice. Cet immense espace glacial, pierreux, inhumain, domine une partie de la ville. Jean y reposait déjà. Territoire sans fin composé d'une multitude de tombes, bien rangées, alignées, seules les fleurs ôtaient à cet endroit sa lourde monotonie. Netka est morte à quatre-vingt-dix-neuf ans, elle disait qu'elle voulait atteindre cent ans, et qu'elle vivrait tant qu'elle pourrait, mais sa légendaire énergie l'a lâchée et elle s'est éteinte sans bruit, avec le petit étui contenant la photo de Jean sur le drap qui couvrait son corps épuisé.

Nous étions tous là autour de la tombe. Il faisait gris et plutôt froid. L'un des frères a prononcé quelques phrases, comme il se devait :

— Nous avons eu beaucoup de chance, a-t-il dit.
Beaucoup de chance qu'elle survive si longtemps
à l'homme de sa vie, beaucoup de chance qu'elle
accueille nos enfants, les enfants de nos enfants,
beaucoup de chance qu'elle consacre toute son existence à s'assurer que les vocations de ses fils ne soient
jamais contrariées, beaucoup de chance que, aux
côtés de son mari, elle nous ait donné l'exemple du
courage et la force de l'amour. Beaucoup de chance,
en effet. Mais, l'ai-je assez aimée ?

Le roman de Netka n'est pas tout à fait achevé. Le chapitre final, si bref soit-il, m'a été fourni par une découverte intervenue en examinant à la loupe certaines fiches d'état civil. C'est assez incroyable.

Voici : j'ai appris que Marie-Hélise avait passé les dernières années de sa vie dans la ville de Villefranche-sur-Mer, ce joli port qui accueille traditionnellement, une fois par an, la sixième flotte de l'US Navy. Villefranche se trouve à trois kilomètres sept cents du Mont-Boron, sur les hauteurs de Nice, où habitaient mes parents depuis que Jean avait pris sa retraite. Entre leur arrivée en 1963, la mort de Jean en 1983, la mort de Netka en 2010, cela fait quelques longues années de fréquentation du même endroit, des mêmes rues, des mêmes commerces.

Trois kilomètres sept cents, soit dix minutes en

voiture, soit trente minutes à pied. On ne peut s'empêcher de fantasmer : ces deux femmes, la mère abandonneuse, ma mère abandonnée, auraient très bien pu se croiser à un moment donné au cours de toutes ces années. Elles se sont, peut-être, croisées. Se seraient-elles reconnues ? Si oui, telle que je crois commencer à la connaître, il me semble que Netka aurait tourné la tête et continué sa marche. Elle serait rentrée par le chemin en pente, elle aurait longé les haies de mimosas, elle aurait pris l'ascenseur jusqu'au troisième étage, gauche, elle aurait appelé, « Jean, je suis là », il aurait répondu, elle aurait fiché sur sa tête sa casquette de golfeur avec sa curieuse visière, elle se serait assise sur le balcon et elle aurait fait face à la mer, comme chaque jour, elle aurait regardé la mer. Comme les lacs de son passé.

Deux romans : le premier, celui de Marie-Hélise, est l'instrument du second, celui de Netka. En vérité, ils n'en font qu'un et n'aboutissent qu'à une seule fin : elle aurait certainement tourné la tête, maman, telle que je commence seulement maintenant à la comprendre, telle que je commence seulement maintenant à la percevoir, Henriette, Netouchka, Netka, Mamika, maman-Netka, ma mère, cette inconnue.

Œuvres de Philippe Labro (suite)

Aux Éditions La Martinière

MON AMÉRIQUE : 50 PORTRAITS DE LÉGENDES (édition illustrée).

Aux Éditions Jean-Claude Lattès

CE N'EST QU'UN DÉBUT (avec Michèle Manceaux).
DES CORNICHONS AU CHOCOLAT.

Aux Éditions Nil

LETTRES D'AMÉRIQUE (avec Olivier Barrot) (Folio n° 3990).

Composition : Nord Compo
Achevé d'imprimer en juillet 2017
par Normandie Roto Impression s.a.s.
61250 Lonrai
Dépôt légal : juillet 2017
Premier dépôt légal : mars 2017
Numéro d'imprimeur : 1703203

ISBN 978-2-07-272752-8 / Imprimé en France

326438